PORTUGUÊS XXI

Caderno de Exercícios 3

Nível B1

Autoras
Ana Dias
Ana Tavares

Direção
Renato Borges de Sousa

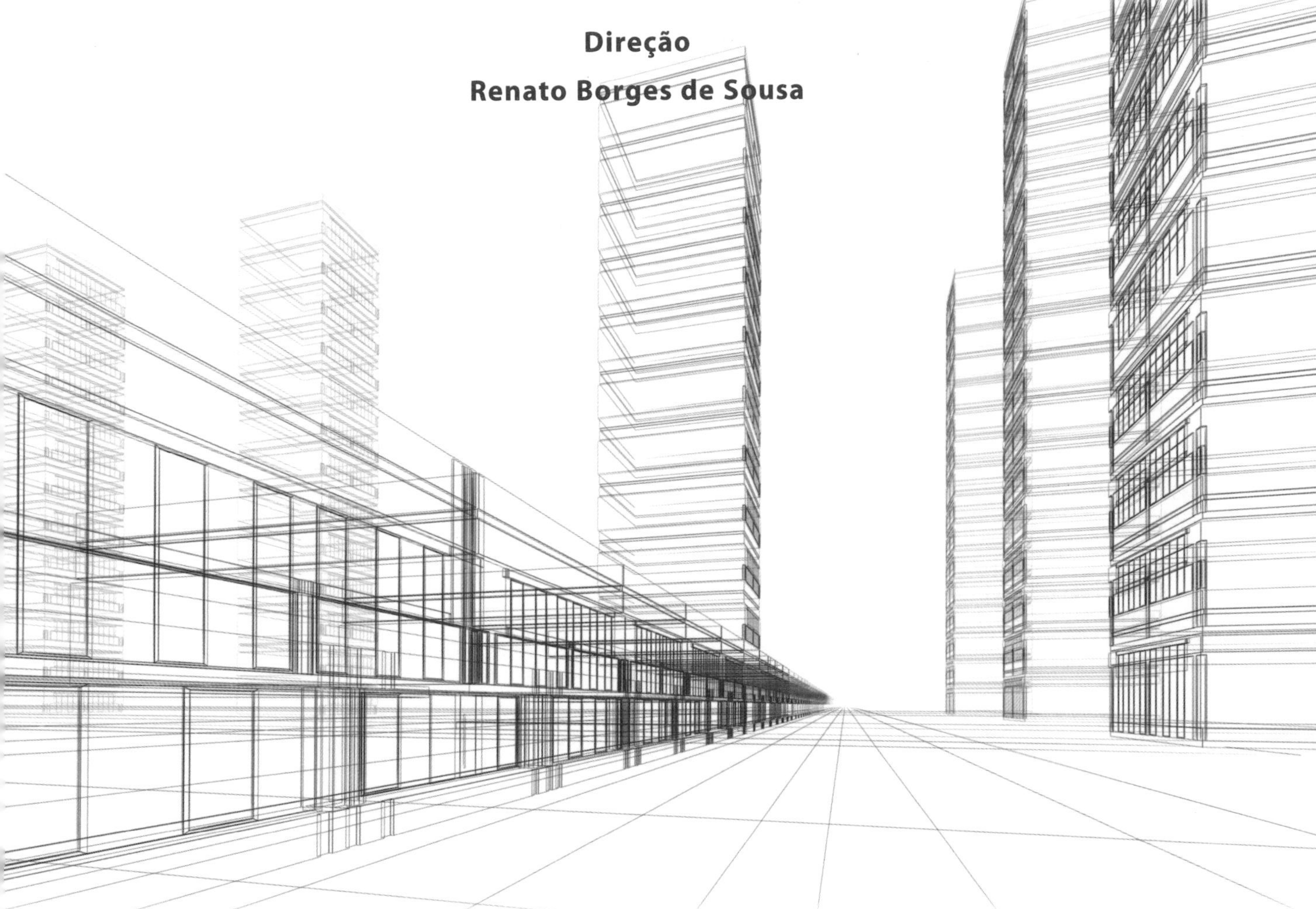

Lidel – edições técnicas, lda

COMPONENTES DO MÉTODO

NÍVEL 1 (A1)
Livro do Aluno
Caderno de Exercícios
Livro do Professor

PACK (Livro do Aluno + Caderno de Exercícios)

NÍVEL 2 (A2)
Livro do Aluno
Caderno de Exercícios
Livro do Professor

PACK (Livro do Aluno + Caderno de Exercícios)

NÍVEL 3 (B1)
Livro do Aluno
Caderno de Exercícios
Livro do Professor

PACK (Livro do Aluno + Caderno de Exercícios)

A **Lidel** adquiriu este estatuto através da assinatura de um protocolo com o **Camões – Instituto da Cooperação e da Língua**, que visa destacar um conjunto de entidades que contribuem para a promoção internacional da língua portuguesa.

Edição e Distribuição
Lidel – Edições Técnicas, Lda.
Rua D. Estefânia, 183, r/c Dto. – 1049-057 Lisboa
Tel: +351 213 511 448
lidel@lidel.pt
Projetos de edição: editoriais@lidel.pt
www.lidel.pt

Livraria
Av. Praia da Vitória, 14 A – 1000-247 Lisboa
Tel: +351 213 541 418
livraria@lidel.pt

ISBN edição impressa: 978-972-757-995-2
1.ª edição impressa: dezembro 2005
3.ª edição atualizada impressa: setembro 2014
Reimpressão de junho 2022

Conceção de *layout* e paginação: Elisabete Nunes
Impressão e acabamento: Cafilesa – Soluções Gráficas, Lda. – Venda do Pinheiro
Depósito Legal: 380304/14

Capa: Elisabete Nunes

Fotografias: Vários – Fotolia.com

Todos os nossos livros passam por um rigoroso controlo de qualidade, no entanto aconselhamos a consulta periódica do nosso *site* (www.lidel.pt) para fazer o *download* de eventuais correções.

Introdução

A Nova Edição do *PORTUGUÊS XXI*, embora mantendo a mesma estrutura e conteúdos, visa uma melhor adaptação à atualidade, pelo que surge com um novo *design* muito mais atrativo e moderno, apresentando novas fotografias e ficheiros áudio com novas gravações disponíveis em www.lidel.pt.

PORTUGUÊS XXI – Intermédio destina-se a alunos que pretendem aprofundar os seus conhecimentos na língua portuguesa. Este terceiro livro inclui, a nível gramatical, os tempos essenciais do Conjuntivo e desenvolve as áreas lexicais relacionadas com os problemas e situações da sociedade em que vivemos atualmente. Tal como no segundo livro, também este apresenta, no final, duas Unidades que se centram nos países de expressão portuguesa, como são os casos de alguns países africanos, Timor-Leste e o Brasil, com o objetivo de alargar os conhecimentos dos alunos em relação à cultura e às diferenças linguísticas e de pronúncia aí existentes.

A existência de um Caderno de Exercícios permite que o aluno trabalhe, essencialmente, as áreas gramaticais e lexicais que surgem nas aulas e poderá ser utilizado em casa, como um trabalho complementar. Assim, logo desde o início, a aprendizagem na aula, tendo o apoio dos ficheiros áudio , privilegia a oralidade.

O *PORTUGUÊS XXI* é um método que tem uma preocupação especial pelo desenvolvimento da compreensão e da expressão oral do aluno, estimulando situações reais de fala, embora não esqueça a importância da compreensão e da expressão escrita, tendo quase sempre como base textos autênticos retirados da imprensa escrita. Os temas abordados são bastante variados e de interesse atual: ecologia e problemas ambientais; emigração e imigração; emprego e desemprego; planos e ambições; a procura da felicidade; os sem-abrigo; as novas tecnologias e as crianças; as mensagens SMS; organizações de trabalho voluntário; a União Europeia; ícones de Portugal; o envelhecimento da população; o sucesso da imprensa gratuita; entre outros.

No final deste nível, o aluno não só ficará a conhecer muitos aspetos que se relacionam com a vida cultural e social portuguesa, como se deverá sentir apto para: compreender diferentes tipos de textos de imprensa; apresentar os seus pontos de vista e defender opiniões; intervir em trocas comunicativas próprias de relações sociais; compreender folhetos publicitários; compreender comunicações, experiências, entrevistas e diálogos a nível oral; intervir em conversas sobre temas da atualidade, expressando opiniões e sentimentos; compreender e elaborar diferentes tipos de textos escritos.

No final de cada unidade, existe sempre um exercício de carácter fonético para que o aluno tenha a oportunidade de ouvir e praticar os sons em que habitualmente sente mais dificuldade.

Conhecer pessoas.

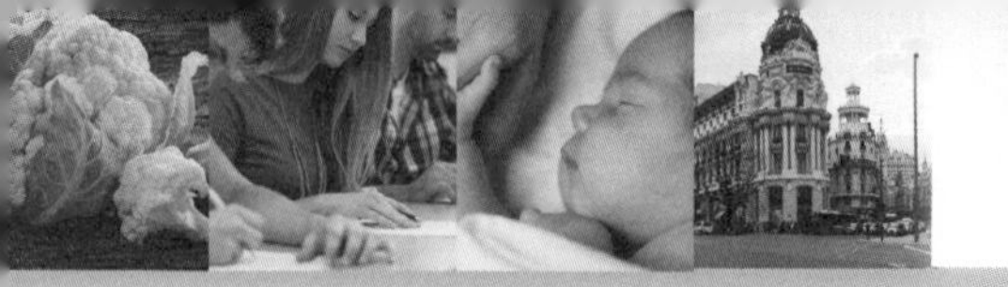

Conhecer pessoas.

1. Faça as perguntas sobre as **partes sublinhadas**.

1. Os meus colegas estão insatisfeitos **com o trabalho**.

____?

2. Fui **com um amigo** **à agência de trabalho temporário**.

a. ____?

b. ____?

3. Vou entregar **esta carta de recomendação** **à Sandra**.

a. ____?

b. ____?

4. O João trabalha **em Tradução**.

____?

5. Eles estavam a falar **do novo projeto**.

____?

6. Esse currículo é **da Joana**.

____?

7. Estou desempregado **há dois meses**.

____?

8. O emprego mais interessante que tive foi **como professor**.

____?

9. Não fui trabalhar para lá, **porque a empresa ficava muito longe**.

____?

10. Já entrevistámos **cinco candidatos**, mas ainda não selecionámos nenhum.

____?

11. Preciso da tua resposta **até sexta-feira**.

____?

12. Para chegares mais depressa, **viras na primeira rua à esquerda e depois vens pela nova autoestrada**.

____?

2. Selecione a alternativa correta.

1. Dantes eles ____________ se encontravam, mas agora veem-se todos os dias.

a) de vez em quando **b) quase nunca** **c) muitas vezes**

2. ____________ pensei trocar este trabalho por outro. Gostaria imenso de trabalhar numa área mais interessante.

a) já não **b) já** **c) ainda não**

3. – Parece-me que o Luís, nos últimos tempos, anda menos tímido.
– Tens razão. Tenho reparado que ele ____________ fala mais connosco do que antes.

a) atualmente **b) realmente** **c) verdadeiramente**

4. O meu novo cargo é ____________ cansativo.

a) exclusivamente **b) unicamente** **c) extremamente**

5. – Que tal irmos ao concerto no sábado?
– Não, vamos ____________ ao teatro. Há uma peça nova que adorava ver.

a) então **b) antes** **c) melhor**

6. Ele estava ____________ nervoso ____________ não foi capaz de responder a todas as perguntas.

a) tão...como **b) tanto...que** **c) tão...que**

7. ____________ tenho consultado os classificados no jornal, mas não tenho visto anúncios a pedir informáticos.

a) antigamente **b) ultimamente** **c) frequentemente**

8. ____________ o diretor não pretendia aumentar o meu salário, resolvi apresentar a demissão. Agora estou no desemprego.

a) porque **b) como** **c) assim**

3. Corrija as formas verbais destacadas.

1. No caso de vocês não **encontram** a empresa, **disseram**-nos!
2. No dia em que eu **decidia** mudar de emprego, **sentia** uma grande insegurança.
3. Quando **ia** à entrevista, **estive** muito nervoso.
4. Não **assinaste** o contrato até **falas** comigo!
5. A que horas é que vocês **veem** amanhã?
6. **Decidem** depois de **falem** com o diretor!
7. Naquele momento, **tínhamos** pena de o vencimento não **é** compatível com a função.
8. Dantes **foi** impensável rescindir o contrato sem aviso prévio.
9. Ultimamente **cheguei** tarde ao escritório.
10. Eles **vieram** pela autoestrada quando **viam** o acidente.

4. Qual é a palavra que não tem relação com o grupo?

A	B	C
risco meta plano objetivo	vocação talento obstáculo aptidão	exercer desempenhar executar desembarcar

D	E	F
ideal fantasia pesadelo sonho	conquistar conseguir realizar desisitir	estrear acabar iniciar inaugurar

5. Encontre as palavras que, nas duas colunas, têm significado mais próximo e ligue-as.

A	B
1. avançar	**a.** transformar
2. demitir-se	**b.** intervir
3. lamentar-se	**c.** exercer
4. assegurar	**d.** despedir-se
5. participar	**e.** garantir
6. desempenhar	**f.** progredir
7. alterar	**g.** queixar-se

6. Responda às perguntas com o verbo e o pronome pessoal referente à parte sublinhada.

Exemplo

– Aceitaste **a proposta**?
– Aceitei-**a**.

1. Fizeste **a entrevista**?
Sim, ______________________________.

2. Enviaste **a tua candidatura**?
Não, não ______________________________.

3. Vocês entregaram **os diplomas**?
Sim, ______________________________.

4. Eles montaram **o negócio**?
Ainda não ______________________________.

5. Vocês leram **os anúncios**?
Sim, já ______________________________.

6. Ainda tens **o número de telefone da Susana**?
Não, já não ______________________________.

7. Ele pôs **o CV** na Internet?
Sim, ______________________________.

8. Trouxeste **os livros que te pedi**?
Não, não ______________________________.

9. Deram-**te informações sobre o horário e o salário**?
Sim, ______________________________.

10. Quem é que entregou **o pedido por escrito**?
Todos ______________________________.

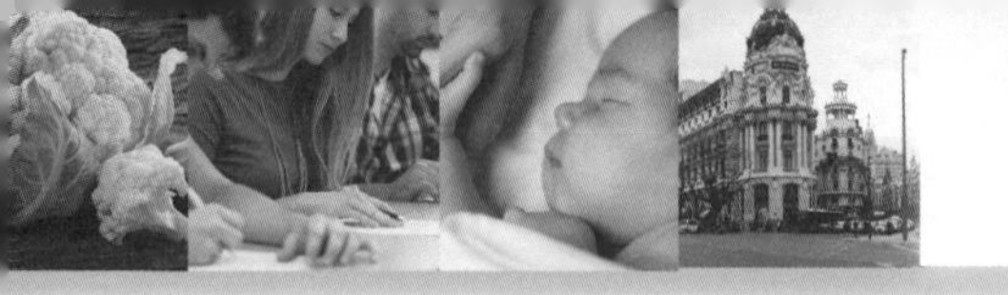

7. **Ligue os elementos das duas colunas de modo a formar novas palavras. Em seguida, complete as frases com as palavras adequadas, colocando-as no plural quando necessário.**

A	B
1. guarda	**a.** prima
2. ferro	**b.** chuva
3. saca	**c.** mar
4. porta	**d.** chave
5. obra	**e.** rolhas
6. beira	**f.** feira
7. para	**g.** bagagens
8. palavra	**h.** artes
9. belas	**i.** brisas
10. segunda	**j.** velho

1. Como o nosso carro já não valia nada, vendêmo-lo ao ______________________ .

2. Não consigo abrir a garrafa. Com tantos ______________________ cá em casa, não há nenhum de jeito.

3. Não consigo ver o carro da frente com esta chuva. O ______________________ está todo embaciado.

4. Levem as malas e ponham-nas no ______________________ .

5. Quando fomos de férias ficámos num hotel à ______________________ .

6. Vou sempre ao ginásio às ______________________ .

7. É melhor levarmos os ______________________ , parece que vai chover.

8. Tenho que alterar a ______________________ do meu computador, nunca me lembro qual é.

9. Esta escultura fascina-me. É uma verdadeira ______________________ .

10. Finalmente vou aperfeiçoar as minhas pinturas. Inscrevi-me ontem num curso de ______________________ .

8. **Complete os espaços com os verbos na *forma Imperativa*.**

Faça uma lista dos sonhos da sua juventude a nível profissional. ________________-os (escrever) num papel e ________________ (refletir) sobre eles. ________________ (analisar) a sua situação atual e ________________ (estabelecer) metas. ________________ (consultar) os anúncios nos jornais. ________________ (ir) à luta! ________________ (lembrar-se) de que nada é impossível. ________________ (dar) tempo a si próprio e ________________ (descobrir) o que pode fazer para se sentir realizado profissionalmente.
Não ________________ (esquecer-se) de que a gratificação pessoal é o melhor elixir.

9. *Sopa de letras.* Descubra mais 9 características psicológicas.

H	O	G	A	S	T	A	D	O	R	R	D	I
O	P	O	T	I	M	I	S	T	A	I	R	S
S	A	R	R	O	G	A	N	T	E	S	L	T
O	C	S	I	M	P	A	T	I	C	O	M	T
C	I	O	D	B	C	O	U	S	A	D	O	I
I	E	X	E	R	A	G	E	F	C	L	S	M
A	N	L	I	N	D	O	L	E	N	T	E	I
V	T	V	O	I	M	D	Q	D	U	V	A	D
E	E	X	T	R	O	V	E	R	T	I	D	O
L	B	C	A	M	B	G	A	S	Q	U	R	E

1. indolente
2. ____________________
3. ____________________
4. ____________________
5. ____________________
6. ____________________
7. ____________________
8. ____________________
9. ____________________
10. ____________________

10. Complete as frases com as preposições *para* ou *por*, contraindo-as com os artigos definidos quando necessário.

1. Somos treinados ________________ responder às exigências do mercado.
2. ________________ mim, trocava de emprego, mas tenho muitas despesas.
3. A Joana não tem vocação ________________ assistente de administração.
4. A maioria dos candidatos não tinha as habilitações ________________ o cargo.
5. Faço um registo, duas vezes ________________ semana, daquilo que me desagradou na equipa.
6. A Maria trocou o emprego que tinha ________________ outro mais interessante.
7. Eles devem chegar à empresa ________________ as 14:00.
8. ________________ onde é que vocês costumam ir para o trabalho?

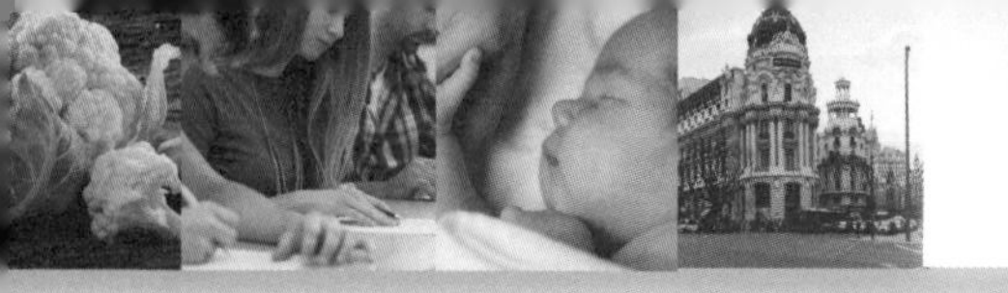

11. Complete o texto com as palavras dadas.

frustração	petisca	motivante	vida	correm	
portas	coragem	grau	tão	desempenham	
para	trocar	vez	com	tomar	cada

Muitas pessoas sentem-se insatisfeitas _______________ o cargo que ocupam, pois trabalham numa área que não lhes interessa. Tal realidade é, para muitos, uma _______________, o que se reflete na forma como _______________ as suas funções. _______________ um emprego estável por outro mais _______________, mas menos certo, só é pensado por uma minoria. É claro que sem _______________ e espírito de aventura é impossível _______________ uma decisão desse tipo. Tudo depende do _______________ de insatisfação e das responsabilidades de _______________ um. Passar a _______________ a lamentar-se não é, contudo, a melhor solução. É preciso vontade _______________ aceitar novos desafios e lançar-se à aventura, atendendo aos riscos que se _______________ hoje em dia. É cada _______________ mais difícil desistir do que se tem numa sociedade _______________ competitiva. Nunca se sabe, porém, que _______________ se poderão abrir. Como diz o ditado: "Quem não arrisca, não _______________!"

12. Imagine que abriu uma vaga para um professor de Inglês numa escola privada. Selecione um dos dois currículos e escreva uma carta de apresentação em que deverá tentar convencer o diretor de que possui o perfil adequado para o lugar em questão.

A

Habilitações Académicas:
Licenciatura em Turismo, 1997
Curso de Formação em Didática de Línguas Estrangeiras
Experiência profissional:
Agência de Viagens TourVip
Professora de Inglês num Instituto de Línguas em Madrid
Línguas:
Inglês (*Proficiency - British Council*) e
Francês (médio)
Outras atividades:
Animadora cultural
Fotografia

B

Habilitações Académicas:

Licenciatura em Línguas e Literaturas Modernas - variante Português/Inglês, Faculdade de Letras, 2000

Especialização em Estudos de Tradução, Faculdade de Letras, 2002

Formação académica complementar:

Cursos intensivos de Inglês em Cambridge e Londres, 2004

Experiência profissional:

Professora de Inglês (aulas individuais e em grupo)

Tradutora

Línguas:

Inglês (fluente), Alemão (médio) e Francês (médio)

____________________, ______ de ________________ de ______

____

____

____

____

____

____

____

____

____

____

____

____

____

____

____

____

____

____

Não acredito que não separes o lixo.

2

1. Complete as frases com os verbos no *Presente do Conjuntivo*.

Para haver uma separação seletiva e eficiente do lixo, é fundamental que…

1. ________________ (nós / ter) cuidados básicos com os nossos resíduos domésticos.
2. ________________ (você / pôr) o lixo em sacos de plástico fechados.
3. ________________ (tu / dirigir-se) regularmente aos ecopontos.
4. ________________ (vocês / colocar) o lixo nos contentores apropriados, de acordo com o material de que são feitos.
5. ________________ (tu / dobrar) e ________________ (espalmar) as embalagens de cartão.
6. ________________ (nós / ensinar) as boas práticas ambientais às crianças.
7. ________________ (eles / facilitar) o trabalho de recolha.
8. ________________ (vocês / cumprir) as normas.

2. Responda às perguntas com *Talvez* e os verbos no *Presente do Conjuntivo*.

1. Ainda despejas o lixo hoje?
   Talvez ____.

2. Acham que a Câmara gere bem a recolha do lixo?
   ____.

3. Será que os contentores são limpos regularmente?
   ____.

4. Eles já têm um miniecoponto doméstico?
   ____.

5. Há ecopontos suficientes na sua área de residência?
   ____.

6. Estará muito trânsito a esta hora?
   ____.

7. A população está consciente da importância da reciclagem?
   ____.

8. As pessoas que produzem mais lixo pagam mais do que as outras?
   ____.

3. **Em que contentor colocaria os seguintes produtos? Coloque as palavras na coluna adequada.**

pacote de detergente em pó	lata de conserva	garrafa de azeite
pacote de leite	champô	frasco de doce
revista	garrafa de lixívia	lata de Coca-Cola
gel de banho	frasco de perfume	livro velho
fotografias velhas	boião de iogurte	amaciador de roupa
caixa de bombons	embalagem de iogurte líquido	

Papel / Cartão	Metal / Plástico / Embalagens	Vidro

4. **Preencha com os verbos no *Presente do Indicativo* ou no *Presente do Conjuntivo*.**

1. Não julgo que a minha área de residência _______________ (ser) muito afetada pela poluição sonora.

2. Não acredito que todas as autarquias _______________ (promover) uma distribuição equilibrada de contentores para a separação seletiva do lixo.

3. Penso que _______________ (ser) melhor despejarmos o lixo hoje.

4. Parece-me que este bar não _______________(ter) boas condições acústicas. O barulho é insuportável.

5. Não me parece que as escolas _______________ (organizar) iniciativas suficientes a nível da educação ambiental.

6. Não penso que as novas medidas _______________(diminuir) o trânsito no acesso ao IC19.

7. Não achamos que o Metro ______________ (resolver) o problema do ruído naquela zona da cidade.

8. Acreditas que os teus vizinhos ______________ (preocupar-se) em colocar as garrafas no ecoponto?

9. Eles julgam que vocês não ______________ (querer) usar papel reciclado.

10. Não creio que a Câmara já ______________ (ter) uma solução para o problema.

5. Complete o quadro.

Substantivo	Verbo	Adjetivo
a sujidade		
		limpo
	poluir	
a seleção		
		reciclado
		difícil

6. Reescreva as frases e conjugue os verbos destacados no *Presente do Conjuntivo*.

1. Apesar de **ser** importante tornar o lixo útil, é impossível reciclar todos os materiais.
Embora ____
____.

2. No caso de **ter** dúvidas sobre o tratamento das embalagens, consulte os folhetos.
Caso ____.

3. Basta nós **olharmos** para a nossa cidade para **vermos** que os hábitos dos moradores já estão a mudar.
Basta que____
para que ____.

4. Antes de **buzinares** sem motivo, tem em consideração os outros condutores.
Antes que ____.

5. Não deitem fora as embalagens sem **verificarem** se estão vazias.
Não deitem fora as embalagens sem que ______________________________.

6. Se calhar **há** greve, pois não recolheram o lixo ontem à noite.
Talvez ______________________________.

7. Se te **preocupas** com o meio ambiente, ajuda-nos na nossa campanha.
Caso ______________________________.

8. És capaz de **ter** razão. As praias estão mesmo mais limpas.
Talvez ______________________________.

9. É importante as pessoas **mudarem** a sua mentalidade.
É importante que ______________________________.

10. Fico aqui até **terminares** o trabalho.
Fico aqui até que ______________________________.

7. Complete os espaços com as preposições adequadas, contraindo-as com os artigos quando necessário.

O ruído pode ter consequências graves __________ a saúde, ocupando um lugar importante nas preocupações __________ o meioambiente. Sintomas como a irritabilidade, o *stress*, a fadiga, dores de cabeça, a subida da tensão arterial e a surdez temporária e crónica encontram-se __________ os efeitos mais diretos __________ uma exposição diária __________ o ruído que, __________ muitos casos, ultrapassa o que é humanamente consentido. É claro que a suscetibilidade __________ cada um também determina o seu grau __________ resistência; o que __________ muitos é ruído, __________ outros não é. No entanto, quando se vive __________ uma grande cidade __________ um tráfego rodoviário intenso, __________ zonas perto __________ um aeroporto ou rodeado __________ comércio, está-se mais sujeito __________ os efeitos do ruído. É óbvio que a minimização do ruído deveria passar __________ uma gestão mais eficaz do trânsito. __________ diminuírem o volume de tráfego em determinadas zonas críticas da cidade, a qualidade __________ vida __________ os habitantes e __________ os comerciantes locais não melhorará.

8. Complete o crucigrama.

1. Temos uma grande equipa para ______________ todo o lixo que é recolhido diariamente.

2. O ______________ está cada vez pior! Ontem demorei duas horas a chegar a casa.

3. É incrível que, com tanta informação, ainda haja pessoas que não se incomodam em ______________ o lixo.

4. Mãe, em que contentor colocas as embalagens de ______________ ? Não sei onde devo pôr estas caixas.

5. Os efeitos da ______________ sonora são graves. Como consequência, há pessoas que sofrem de surdez sem saberem.

6. Não acredito que os acessos a Lisboa melhorem com as obras. Pelo contrário, até acho que as filas vão ______________ .

7. É pena que muitas pessoas não saibam o que acontece ao ______________ depois de ser recolhido.

8. Põe essas garrafas de ______________ no ecoponto.

9. Não gostava de morar na cidade. O ______________ dos carros incomoda-me.

10. Esvazia este ______________ de leite e coloca-o dentro daquele saco.

9. Junte as frases com as palavras que se encontram entre parênteses e faça as alterações necessárias.

1. Há pessoas que separam o lixo em casa. Mas muitas não esvaziam as embalagens de cartão.
(embora)

____

____.

2. A vossa campanha sobre práticas ambientais é pouco eficaz. Façam cartazes e distribuam-nos nas escolas.
(para que)

____

____.

3. Muitos jovens adoram ir à discoteca. Eles não sabem que podem vir a ter problemas de surdez.
(embora)

____

____.

4. Tens tempo e disponibilidade. Fala com os teus filhos sobre a importância da reciclagem.
(caso)

____

____.

5. Os problemas ambientais são muito sérios. As pessoas ainda são pouco cívicas.
(se bem que)

____

____.

6. Existem bastantes ecopontos. Mas eles não são suficientes para o lixo que os portugueses produzem por dia.
(ainda que)

____

____.

10. "Nada se perde, tudo se transforma" é uma frase bem conhecida pelos portugueses quando se fala de reciclagem. Mas será que muitas pessoas sabem que uma lata de Coca-Cola pode ser transformada numa peça de bicicleta? Escreva um artigo para o jornal, alertando para a importância da reciclagem. Pode usar as seguintes informações:

Produtos usados →	Produtos reciclados
• Detergentes	• Brinquedos, tubos, solas de sapato
• Latas de bebidas e tampas de alumínio e de aço	• Candeeiros, ferros de engomar, bicos de fogão, outras latas
• Refrigerantes e garrafas de água de plástico	• Vestuário, tecidos, outras embalagens

Há quanto tempo vives em Portugal?

1. Complete as frases com os verbos no *Presente do Conjuntivo*.

1. Sugiro que ______________ (tu / ir) ao consulado e que te ______________ (informar) sobre o país antes de emigrares.
2. Lamento que vocês não ______________ (conseguir) arranjar trabalho.
3. Receio que tu só ______________(poder) ficar no país, como turista, durante três meses.
4. Duvido que eles te ______________ (dar) a autorização de residência sem teres um contrato de trabalho.
5. Agradeço que vocês me ______________ (indicar) o nome de algumas associações de solidariedade.
6. Espero que eles ______________ (adaptar-se) rapidamente à nossa cultura.
7. O Hans só quer que eu o ______________ (ajudar) a encontrar um lugar para ficar.
8. Queremos que o consulado nos ______________ (dizer) rapidamente se o processo de legalização é possível.

2. Complete as frases com as palavras dadas.

à aventura	natureza	dificuldades	um negócio
os estudos	o coração	os custos	dependência

1. O André teve de vender a casa, pois não conseguia suportar ______________.
2. Antes de virem para Portugal, eles já planeavam montar ______________.
3. O facto de não saberem a língua, causou-lhes ______________.
4. O Carlos deixou ______________ e foi trabalhar com o pai.
5. Eles puseram ______________ ao alto e foram viver para outro país.
6. O meu vizinho lançou-se ______________ e decidiu procurar trabalho em Londres.
7. Independentemente da ______________ da vossa deslocação, vocês podem ficar três meses em qualquer país da União Europeia.
8. Para ter nacionalidade portuguesa, ele teve de provar a sua ______________ económica em relação aos pais.

3. Complete o diálogo com os verbos entre parênteses e conjugue-os no *Presente do Conjuntivo*.

Tens algum amigo que ______________ (trabalhar) num centro de acolhimento para imigrantes?

Não, não conheço ninguém que o ______________ (fazer). Porquê?

Ando à procura de uma organização que ______________ (promover) a inserção de imigrantes.

Talvez a Ana ______________ (saber) de alguma morada que te ______________ (poder) ser útil. É urgente?

É para um amigo meu ucraniano que se sente muito isolado e precisa de qualquer coisa que o ______________ (ajudar) a integrar-se em Portugal.

Ele já chegou há muito tempo?

Há uns meses, mas embora ______________ (estar) a trabalhar, ainda não conseguiu mandar vir a família para cá. Precisa mesmo de um emprego que ______________ (dar) para juntar dinheiro.

Pois é. Não é nada fácil encontrar alguém que ______________ (dispor-se) a contratá-lo e a pagar-lhe bem sem que ele ______________ (falar) português razoavelmente. Caso eu ______________ (saber) de alguma coisa, ligo-te.

4. Ligue os elementos das duas colunas.

A	B
1. Com quem quer que eu fale,	**a.** é óbvio que não gostam de viver cá.
2. Quaisquer que sejam os prazos,	**b.** tens de legalizar a tua situação.
3. O que quer que eles digam,	**c.** o consulado pode ajudá-la.
4. Para onde quer que vão,	**d.** passa por uma fase de adaptação.
5. Fazemos o que quer que seja,	**e.** estou disposto a cumpri-los.
6. Onde quer que estejamos,	**f.** ninguém conhece centros de acolhimento.
7. Quer queiras quer não,	**g.** para obtermos o visto.
8. Qualquer que seja o seu problema,	**h.** fazemos amigos facilmente.
9. Quem quer que emigre,	**i.** levem os documentos convosco.

5. Cada frase tem 1 ou 2 erros. Encontre-os e corrija-os.

1. Espero que eu e a minha família ficamos a viver neste país.

2. Receio que não é fácil renovar a minha autorização de residência, mas espero obtê-la para mais um ano.

3. Há quem vive muitos anos fora sem ir a casa.

4. Agradeço que me indicam um lugar para ficar.

5. Embora não dominamos a língua, conseguimos sobreviver.

6. Eles veem para Portugal em busca de um nível de vida que lhes permite ajudar as famílias que ficaram no país de origem.

7. Há quem decide deixar o meio rural e tentar a sorte na cidade.

8. Receio que aqui não há nenhuma organização que nos dê apoio.

9. Sugiro que aprendem português antes de virem.

10. Vinha a Portugal, pela primeira vez, em 2001 e acabou para emigrar para cá um ano depois.

6. Ponha as frases na ordem correta e veja como tem sido a experiência do Olav desde que chegou a Portugal.

1. porque não conhecia ninguém, nem falava a língua.
2. Embora sinta saudades do meu país,
3. Já estava em Lisboa há três meses quando fui trabalhar para uma empresa de construção civil,
4. Cheguei a Portugal em 2003.
5. No entanto, farei o que quer que seja
6. ainda não tenho condições para regressar.
7. onde fiz alguns amigos.
8. No início foi muito difícil,
9. E não acredito que esse sonho se realize nos próximos anos.
10. para ter a minha família cá comigo.

7. Qual é o intruso? Selecione a palavra que não pertence ao grupo.

A	B	C
vão venham vejam são	portanto por isso além disso pelo que	embora ainda que apesar de enquanto

D	E	F
venha tenha ganha ponha	talvez se calhar é capaz de no caso de	dê dou dêmos deem

8. **Preencha as frases com as palavras adequadas, contando com o número de letras necessário para completar as 9 colunas na horizontal, e formar uma nova palavra na vertical.**

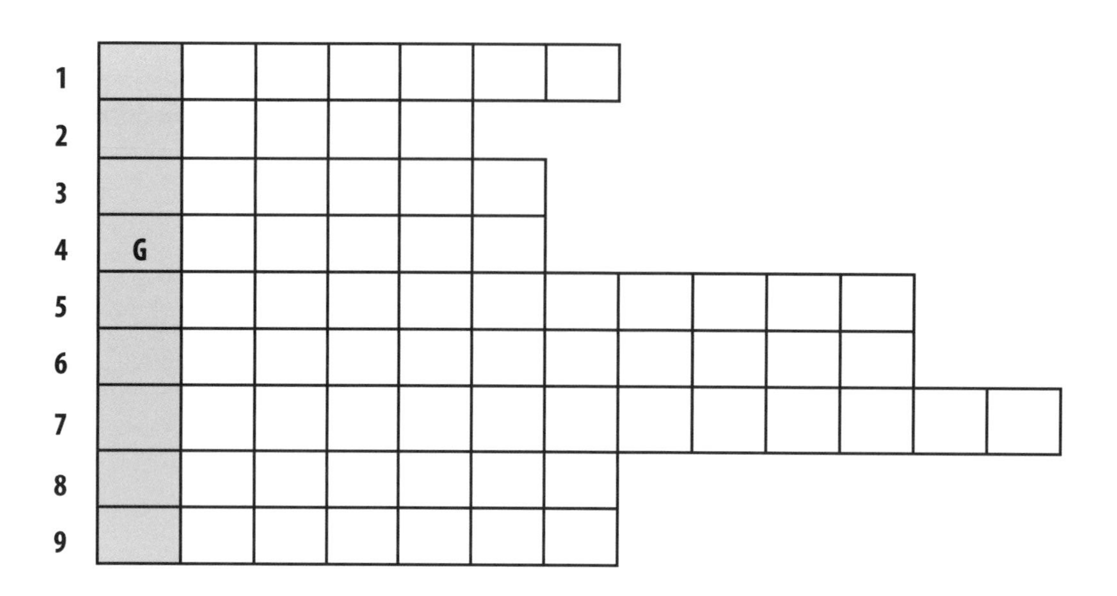

1. Foi em 1998 que deixei o Brasil e resolvi ______________ para Portugal.

2. Como ganhava pouco, decidi ______________ de vida e ir para os E.U.A.

3. Quando emigrámos, tivemos muitas dificuldades. No ______________ custou-nos muito estar longe da família.

4. ______________ parte dos imigrantes fica a viver no país de acolhimento.

5. Eles só ______________ a Lisboa no ano passado.

6. Quando é que me dão a ______________ de residência?

7. Ela teve de provar que o marido era português para obter a ______________ portuguesa.

8. Há uma grande diferença entre ser ______________ por umas semanas e viver num país.

9. Duvido que ele arranje um bom ______________ sem falar português.

9. Complete o texto com os verbos dados no *Presente do Conjuntivo*.

adaptar-se	dar	conseguir	ir (2x)	estar
querer	ficar	vir	conhecer	voltar

Lisboa, 20 de fevereiro de 2014

Querida Sofia,

Espero que _______________ bem. Como sabes, já estou em Portugal há seis meses. Embora ainda não _______________ muitas pessoas, gosto muito de viver cá. Aonde quer que eu _______________ , encontro sempre um motivo para ficar e só desejo que esta estadia me _______________ a conhecer bastante da cultura portuguesa. Como eu já previa, não me parece que a Denise _______________ muito mais tempo por aqui. É mesmo possível que _______________ para casa este mês. Já lhe disse para ser mais paciente e para dar tempo ao tempo. É incrível, mas parece que ela não compreende que não há ninguém que _______________ logo à mentalidade de um novo país. É óbvio que quem quer que _______________ viver para o estrangeiro, tem de enfrentar obstáculos e problemas. Quer nós _______________ quer não, a vida é feita de momentos bons e maus. Talvez eu ainda a _______________ convencer a ficar.

Achas que me vens visitar no verão? Caso _______________ , vou levar-te a umas praias fabulosas. Fica prometido!

Beijinhos

Paula

10. **Vantagens e desvantagens de viver e trabalhar durante muito tempo noutro país. Escreva a sua opinião sobre este tema, tendo em consideração os pontos abaixo mencionados e acrescentando outros que lhe pareçam importantes.**

- ✓ *Enriquecimento cultural*
- ✓ *Perda de identidade*
- ✓ *Bem-estar económico*
- ✓ *Distância de família e amigos*
- ✓ *Dificuldades de integração*
- ✓ *Isolamento*
- ✓ *Descoberta de novos valores*

Vamos para fora cá dentro?

4

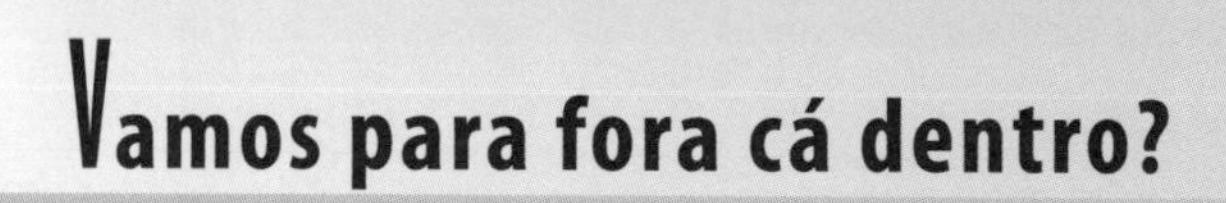

1. Complete as frases com os verbos dados, conjugando-os no tempo verbal adequado.

A. manter / deter / conter

1. No Funchal encontram-se vários edifícios que ainda ______________ a arquitetura original.
2. É imprescindível que o programa da Ilha de São Miguel ______________ uma visita ao Miradouro Pico do Ferro, de onde se pode observar a Lagoa das Furnas.
3. Eu não vos ______________ por mais tempo. Só queria mesmo saber a vossa opinião sobre a Lagoa das Sete Cidades.

B. dispor / propor / supor / repor

1. Como vão ao arquipélago dos Açores, ______________ que o programa inclui uma visita a Angra do Heroísmo, na Ilha Terceira.
2. Depois do almoço na Ilha do Pico, o guia ______________-nos uma visita ao Museu dos Baleeiros.
3. A agência já ______________ os catálogos com o circuito da Ilha das Flores? Quando eu fui lá na semana passada não tinham nenhum.
4. O hotel onde ficámos ______________ de excelentes condições.

C. convir / intervir / provir

1. A flora na Madeira ______________ de várias partes do mundo.
2. O guia turístico só ______________ quando nós lhe fizemos perguntas.
3. Caso queiram passear a pé pela ilha, ______________ levarem umas boas botas.

D. rever / prever

1. Como nós já ______________ antes da viagem, a Raquel adorou a excursão ao Faial e a hospitalidade açoriana.
2. Da última vez que estivemos na Ilha de Porto Santo, ______________ alguns dos nossos amigos madeirenses.

E. despedir-se / impedir / despedir

1. Quando ______________ do Paulo, ele ofereceu-nos um bordado madeirense lindíssimo.
2. É possível que a chuva nos ______________ de praticar montanhismo.
3. Enquanto a tua empresa contratou dez pessoas, a minha já ______________ cerca de cinco.

2. Complete o quadro.

Verbo	Substantivo
manter	
provir	
	a intervenção
compor	
	a suposição
dispor	
	o conteúdo
	o impedimento
satisfazer	
rever	
prever	

3. Complete as frases com as <u>preposições</u> adequadas, contraindo-as com os artigos quando necessário.

1. Ficámos ____________ ir ter ____________ o Rui ____________ a Lagoa das Sete Cidades.

2. A visita ____________ a Ilha de Porto Santo ficou ____________ amanhã devido ____________ o temporal.

3. Quando estivemos ____________os Açores, ficámos ____________ um hotel no centro ____________ a Ilha Terceira.

4. Ficaste ____________ o mapa ____________ a Ilha? Não o consigo encontrar.

5. Caso não recebamos mais nenhum *e-mail*, a viagem ficará ____________ confirmar.

6. Bem, a nossa caminhada ____________ hoje fica ____________ aqui. Estou cansadíssimo.

7. O ponto mais alto de Portugal fica ____________ a Ilha ____________ o Pico ____________o arquipélago____________os Açores, tendo 2351 metros____________ altura.

4. Ligue as colunas de modo a encontrar os vários significados do verbo *passar* e, em seguida, leia as frases que o poderão ajudar a confirmar as suas respostas.

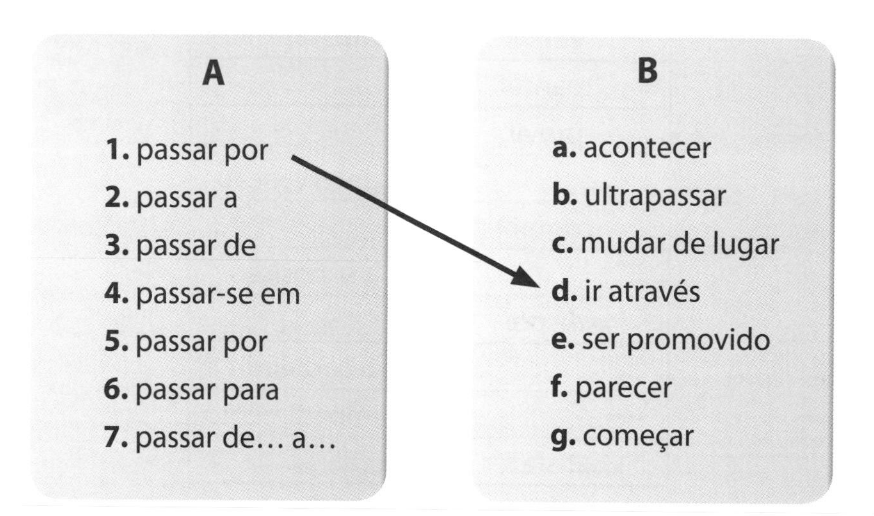

A	B
1. passar por	**a.** acontecer
2. passar a	**b.** ultrapassar
3. passar de	**c.** mudar de lugar
4. passar-se em	**d.** ir através
5. passar por	**e.** ser promovido
6. passar para	**f.** parecer
7. passar de... a...	**g.** começar

1. **Passei por** tua casa ontem, mas não estava ninguém.

2. **Passei a** reservar as minhas viagens pela Internet.

3. Estou atrasadíssima! Já **passa do** meio-dia e ainda não fiz nada!

4. Estás tão pálida. **Passou-se** alguma coisa **em** tua casa?

5. Falas tão bem italiano que até **passas por** italiana.

6. **Passa** este móvel **para** a outra sala.

7. Ele **passou de** técnico **a** subchefe em apenas três meses.

5. Complete os espaços com as palavras do quadro de modo a formar <u>expressões idiomáticas</u>.

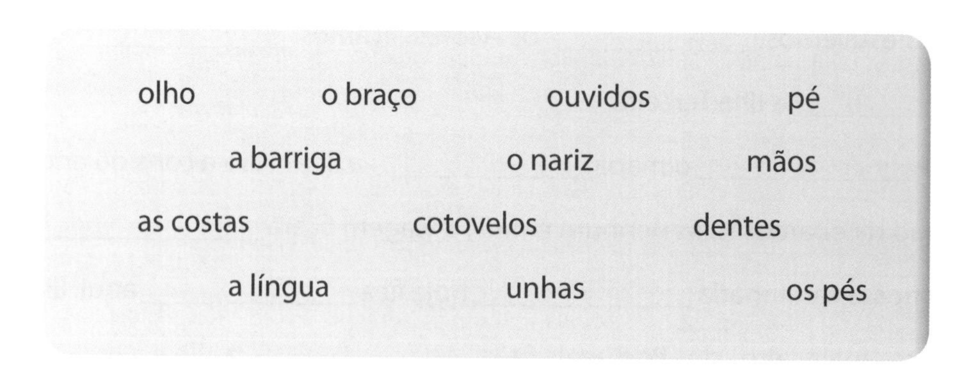

olho — o braço — ouvidos — pé — a barriga — o nariz — mãos — as costas — cotovelos — dentes — a língua — unhas — os pés

1. É melhor irmos para o restaurante. Já tenho ______________ a dar horas.

2. O Pedro é muito curioso, mete sempre ______________ em tudo.

3. Apesar de ganhar bem, ela gastou pouquíssimo dinheiro nas férias. Há quem a ache uma ______________ de fome.

4. Como a agência meteu ______________ pelas ______________ na organização da viagem, recebeu muitas reclamações.
5. Ainda estás de ______________ atrás relativamente à Guida?
6. Nunca vi nada assim! Ela fala pelos ______________.
7. Estou cansadíssima! Não tenho pregado ______________ nos últimos dias.
8. Desde que ela deu com ______________ nos ______________, nunca mais lhe contei nada.
9. É óbvio que eles têm ______________ quentes para continuarem a trabalhar na empresa depois de tantos problemas.
10. O João deu ______________ a torcer e acabou por mergulhar connosco. Agora já concorda que fazer mergulho é uma atividade fantástica.
11. Apesar de todos os avisos, ele fez ______________ de mercador e foi passear sozinho.

6. Substitua a parte destacada de cada frase por *dar-se com; dar com; dar por; dar para*. Contraia as preposições com os artigos quando necessário. Poderá ter de acrescentar algumas palavras de modo a manter o sentido das frases.

1. O nosso quarto em Ponta Delgada ***tinha vista para*** a falésia.

____.

2. Quando estivemos nos Açores, ***encontrámos*** o Rui em São Miguel.

____.

3. ***Tivemos uma ótima relação com*** os madeirenses.

____.

4. Estava tão absorvida pela paisagem que não ***reparei no*** tempo a passar.

____.

5. Acho que ***não tenho vocação para*** guia turística.

____.

6. Estava no jardim e não ***ouvi*** o telefone a tocar.

____.

7. Nós lemos o texto várias vezes e não ***vimos*** nenhum erro.

____.

7. **Complete com as palavras que se relacionam com as definições dadas.**

1. M ___ ___ ___ ___ ___ ___ ___ ___ ___ — Natural da Ilha da Madeira
2. A ___ ___ ___ ___ ___ ___ ___ ___ ___ ___ — Conjunto de ilhas
3. C ___ ___ ___ ___ ___ ___ ___ — Andar a pé
4. P ___ ___ ___ ___ ___ ___ ___ — Vista
5. E ___ ___ ___ ___ ___ ___ ___ — Visita organizada a um local de interesse turístico
6. A ___ ___ ___ ___ ___ ___ ___ — Natural do arquipélago dos Açores

8. **A agência de viagens Açortur está em época de promoções. Complete o seguinte folheto publicitário, conjugando os verbos e utilizando a forma correta dos pronomes.**

Venha descobrir os Açores!

Especializada em circuitos para aqueles que ____________ (**manter**) um contacto próximo com a natureza, a Açortur ____________ (**propor / a você**) programas com tudo incluído, desde o embarque no continente até ao final da viagem.

A nossa programação ____________ (**compor**) tanto por passeios e atividades em São Miguel como por visitas às seguintes ilhas: Pico, Graciosa, São Jorge, Faial, Santa Maria, Corvo e Flores, em circuitos de avião ou de barco.

____________ (**esperar / a você**) regiões verdejantes onde a mão humana pouco ____________ (**intervir**); sítios inesquecíveis onde poderá praticar os mais variados desportos.

Nós ____________ (**oferecer / a você**), ainda, a possibilidade de ficar em antigas casas de família e estalagens que ____________ (**deter**) um grande valor histórico-cultural.

Queremos ____________ (**convidar / a você**) a observar as baleias e os golfinhos que ____________ (**encontrar-se**) no mar dos Açores, um dos melhores lugares do mundo para a sua procriação.

____________ (**você / despedir-se**) do continente e ____________ (**satisfazer**) a sua curiosidade.

____________ (**você / vir**) até cá que nós ____________ (**cuidar**) do resto!

9. **Utilize as informações do quadro sobre a Ilha da Madeira e crie um folheto publicitário que atraia turistas.**

Localização: 1000 km de Portugal Continental (uma hora e meia de voo)

Capital: Funchal

Clima: Temperaturas médias entre os 22º no verão e os 16º no inverno
Temperatura da água amena durante todo o ano

Pontos altos: Piscinas naturais, grutas vulcânicas, jardins, museus, mercados típicos

Gastronomia: Espetadas, cozido madeirense, bife de atum, filete de espada, bolo do caco e bolo de mel. Vinho da Madeira

Artesanato: Trabalhos em vime e bordados

Lazer: Caminhada e escalada, desportos radicais: asa-delta, parapente, hipismo, golfe, montanhismo, vela, canoagem, esqui aquático

Festas tradicionais: Festa da Flor (Primavera)

Passeios: Visita à Ilha de Porto Santo de barco (duas horas e meia)

O que é que nos faz felizes?

5

O que é que nos faz felizes?

1. Complete com os verbos no *Futuro do Conjuntivo*.

1. Enquanto não ________________________ (melhorar), deves ficar em casa.
2. Sempre que tu ________________________ (sentir-se) desmotivado, pensa numa coisa positiva.
3. Quando ________________________ (tu / ir) à livraria, procura o livro de autoajuda de que te falei.
4. Vais ficar muito contente quando ________________________ (saber) as novidades.
5. Vamos ter saudades tuas todas as vezes que ________________________ (lembrar-se) dos momentos que passámos juntos.
6. Logo que ________________________ (sair) da rotunda, entrem na primeira rua à direita. Por aí não apanham trânsito.
7. Resolve o problema como ________________________ (achar) melhor.
8. Assim que ________________________ (ter) dinheiro, vamos de férias.
9. Não saímos da fila enquanto não ________________________ (tratar) do assunto.
10. Vais sentir-te melhor quando ________________________ (ver) os resultados do tratamento.

2. A primeira palavra está para a segunda, assim como a terceira está para a quarta. Encontre a sequência lógica.

1.	rapidez	rápido	lentidão	________________________
2.	ótimo	otimista	péssimo	________________________
3.	desejo	desejoso	ânsia	________________________
4.	apressado	pressa	vagaroso	________________________
5.	angústia	angustiado	depressão	________________________
6.	atrasar	atrasado	adiantar	________________________
7.	seguro	inseguro	constante	________________________
8.	desilusão	desiludido	frustração	________________________
9.	ofender	ofensa	defender	________________________
10.	doença	doente	saúde	________________________

3. Complete o texto com as palavras do quadro.

de hora a hora	dantes	de vez em quando	a horas	enquanto
entretanto	horas a fio	por volta das	logo de seguida	de repente

________________ costumava ir para o trabalho de transportes públicos, mas como à noite só passava um autocarro ________________, comecei a levar o carro. Embora seja mais prático, ando sempre *stressado*. Passar ________________ nas filas de trânsito é realmente uma experiência deprimente. É incrível que ________________ 7:30 o IC19 já esteja completamente congestionado. O meu ritual é sempre o mesmo. ________________ espero, ligo o rádio para descontrair. Nem sempre, mas ________________, até leio umas páginas de um livro que trago no porta-luvas. Ainda ontem o fiz. Estava eu no meu momento de leitura matinal, quando a distância do carro da frente ________________ aumentou. Voltei a ter esperança em chegar ________________ à empresa. Eis que, ________________, a voz que me acompanha todas as manhãs informou que havia um acidente. ________________, perdi a paciência e jurei nunca mais ir de carro para Lisboa à segunda-feira.

2. A 4. Junte as frases começando por <u>se</u>. Faça as modificações necessárias.

1. Mantém a calma. Vais conseguir resolver o problema.

____.

2. Aprende a aceitar o fracasso de forma positiva. Será mais fácil recomeçares.

____.

3. Faz uma autoanálise. Compreenderás as razões dessas mudanças bruscas na tua vida.

____.

4. Valorize as suas qualidades. Vai sentir-se mais autoconfiante.

____.

5. Luta pelos teus sonhos. Terás mais êxitos.

____.

6. Muda a forma como encaras os problemas. As soluções vão parecer mais fáceis.

____.

7. Deem valor às coisas simples. A vossa perspetiva da vida melhorará.

____.

5. **Preencha os espaços de modo a completar a palavra que se encontra na vertical e que constitui o tema desta unidade. Conte com as letras já colocadas.**

1.			___	___	F	___	___	___	___
2.				___	___	___			
3.			___	___	___	___	___		
4.			___	___	I	___	___		
5.		___	___	___	___	___	___		
6.		___	___	___	___	___	___	___	
7.		___	___	___	___	___	___	___	
8.				___	___	___			
9.		___	___	___	D	___	___		
10.	___	___	___	___	E	___	___	___	___

1. Triste

2. Contrário de mal

3. Tranquilo

4. Sucesso

5. Ganhar

6. Quem sofre de ansiedade

7. Que faz o bem

8. Harmonia

9. Objetivo dos livros que se escrevem para resolver problemas pessoais

10. Os antidepressivos servem para atenuar esta doença

6. Complete o diálogo, conjugando os verbos entre parênteses no *Infinitivo Pessoal* ou no *Futuro do Conjuntivo*.

Olá! Tudo bem? Já há muito tempo que não te via.

Ando sem tempo nenhum. Enquanto ______________ (estar) naquela empresa, vai ser um *stress*…

Convém ______________ (tu / / fazer) uma pausa de vez em quando. Queres vir correr no domingo?

Até ______________ (acabar) o projeto que tenho em mãos, vai ser difícil. Se ______________ (ter) tempo, telefono-te.

Também não é preciso ______________ (nós / passar) lá a manhã. Basta ______________ (correr) uma hora.

No caso de ______________ (eu / ir), preferes ir para o Estádio Nacional ou até Belém?

Para mim, tanto faz. Corremos onde tu ______________ (querer).

Ok. Assim que eu ______________ (saber) alguma coisa, dou-te um toque.

7. Complete com os verbos no *Futuro do Conjuntivo*.

1. Quem ______________________ (vir) convosco, vai divertir-se imenso.
2. Tudo o que vocês ______________________ (fazer), será recompensado.
3. Façam o melhor que ______________________ (saber).
4. Podes contar comigo para o que ______________________ (ser) preciso.
5. Vou ouvir atentamente aquilo que eles ______________________ (dizer).
6. Encontramo-nos onde vocês ______________________ (querer).
7. Tomo o que o médico me ______________________ (receitar).
8. Fica em casa o tempo que ______________________ (precisar) até te recompores por completo.
9. Não é necessário fazeres tudo à pressa. Vem à hora que ______________________ (poder) que nós esperamos por ti.
10. Não entrem em *stress* por causa deste projeto. Façam primeiro o que eles vos ______________________ (pedir) e depois venham falar comigo.
11. Vou fazer este prato exatamente como tu me ______________________ (explicar).
12. Compro o livro que tu ______________________ (achar) mais interessante.

8. Complete os espaços com os verbos no *Presente* e no *Futuro do Conjuntivo*. Repare no exemplo.

Exemplo

É possível que **aconteça** o pior. ***Aconteça*** o que ***acontecer***, conta comigo.

1. Não acredito no que estás a **dizer**. ______________________ isso a quem ______________________, todos vão ter a mesma reação.
2. O tempo **está** mau, mas ______________________ como ______________________,no fim de semana, vou dar um passeio.
3. **Venho** sempre *stressado* para o trabalho. ______________________ por onde ______________________, nunca chego a horas.
4. Costumava **ler** livros de autoajuda. Agora, ______________________ os livros que ______________________, parece-me tudo igual e desinteressante.

5. Vais **ouvir** muitas coisas desagradáveis, mas ____________________ o que ____________________, não desanimes.

6. Não sei a que psicólogo **vou**. ____________________ aonde ____________________, tenho de sair desta depressão.

7. O médico talvez te **receite** antidepressivos, mas ____________________ o que ____________________, tens de seguir o tratamento.

8. Ele nunca faz o que lhe **digo**. ____________________-lhe o que lhe ____________________, ele só faz o que lhe apetece.

9. É importante que **decidas** se queres realmente ultrapassar essa ansiedade. ____________________ o que ____________________, podes contar comigo.

10. Há pessoas que não sabem o que **fazer** para se sentirem bem. ____________________ o que ____________________, sofrem de uma insatisfação constante.

9. Sopa de letras. Descubra 9 palavras relacionadas com o tema da *Pressa*.

R	A	P	I	D	A	M	E	N	T	E	L	L
D	D	H	S	M	E	R	T	X	L	O	C	P
E	E	M	D	V	B	E	C	O	D	R	O	R
S	P	P	E	O	S	L	F	S	E	S	R	E
P	R	O	M	A	J	O	G	S	V	E	R	S
A	E	D	O	J	R	G	D	P	A	L	E	S
C	S	J	R	U	F	I	E	Q	G	M	R	A
H	S	C	A	T	N	O	L	O	A	P	S	D
A	A	T	R	A	S	O	J	O	U	L	S	O
R	D	A	C	E	L	E	R	A	R	M	F	Z
L	O	N	P	T	S	A	I	Q	C	R	P	U

1. ____________________
2. ____________________
3. ____________________
4. ____________________
5. ____________________
6. ____________________
7. ____________________
8. ____________________
9. ____________________

10. **O conceito de felicidade varia muito de pessoa para pessoa. Leia o que a Isabel e a Sandra enumeraram como sendo motivos para estar feliz. Com que descrição se identifica mais? Justifique a sua escolha, acrescentando outros modos que, a seu ver, contribuem para que nos sintamos bem.**

Ser feliz é saber que tenho possibilidades económicas para satisfazer os meus desejos. Adoro viajar, conhecer novas culturas e fazer muitas compras. Tenho um sentido estético muito apurado e sinto-me realizada quando adquiro um objeto de arte ou uma peça de roupa de que goste. Claro que, para manter um nível de vida satisfatório, dedico muitas horas à minha carreira, passando grande parte do tempo a trabalhar.

Isabel, 32 anos

Felicidade é sermos nós próprios e conseguirmos manter o equilíbrio nas fases boas e más.

É importante definirmos prioridades e não deixarmos que o trabalho nos impossibilite de passar tempo com a família e os amigos. Para mim, o que realmente conta são os pequenos momentos que me fazem sentir bem: um bom livro, um filme interessante, um passeio à beira-mar e o sorriso dos meus filhos.

Sandra, 39 anos

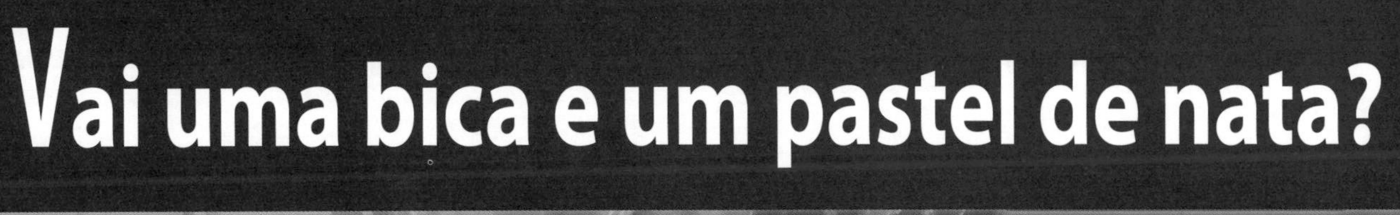

Vai uma bica e um pastel de nata?

1. Complete as frases com os verbos entre parênteses no *Indicativo, Conjuntivo* ou *Infinitivo Pessoal.*

1. Quando ______________________ (eu / ir) a Lisboa, vou visitar o Castelo de São Jorge.
2. Se ______________________ (vocês / estar) interessados, damos um passeio por Alcobaça e visitamos o mosteiro.
3. Apesar de ______________________ (eu / estar) a fazer dieta, não resisto a um pastel de Belém.
4. Caso vocês ______________________ (querer) ficar numa pousada, recomendo-vos a pousada do Marvão.
5. Mal nós ______________________ (chegar) ao aeroporto, vamos alugar um carro.
6. Enquanto eu não ______________________ (saber) a data das férias, não posso combinar nada contigo.
7. Logo que ______________________ (nós / ver) a Luísa, lembrámo-nos daquela semana em Tomar.
8. No caso de ______________________ (vocês / passar) por Évora, vão ao Templo de Diana.
9. Há quem ______________________ (preferir) acampar a ficar em hotéis.
10. É possível que ele ainda ______________________ (conseguir) um voo para o Porto.
11. Fica com este mapa para te ______________________ (orientar) melhor no caminho.
12. Quando ______________________ (estar) na Nazaré, ficámos num hotel com vista para o mar.
13. Descobri um restaurante ótimo assim que ______________________ (chegar) a Peniche.
14. Ainda que eu não ______________________ (gostar) muito de praia, vou passar um fim de semana a Albufeira.

2. Cada frase contém uma <u>preposição</u> desnecessária ou incorretamente usada. <u>Corrija-as.</u>

1. É importante de reservarmos um hotel com antecedência.
2. A chegar a Óbidos, ficámos impressionados com a beleza da vila.
3. No próximo fim de semana vamos a visitar o Palácio da Pena.
4. Pensamos de fazer uma viagem pelo Minho.
5. Decidimos de ficar um fim de semana numa pousada no Alentejo.
6. No sábado demos um passeio de pé em Sintra.
7. Eles acabaram para ficar no hotel e não foram connosco à Sé de Lisboa.
8. Eles ainda não desistiram em fazer o cruzeiro pelo Douro.
9. Para mim, saíamos hoje de Lisboa e íamos até à Figueira da Foz.
10. Ficámos a passar pela agência para levantarmos os bilhetes.

3. <u>Caça ao intruso</u>. Selecione o elemento que <u>não</u> pertence a cada grupo.

A	B	C	D	E
diversão aborrecimento enfado tédio	alento desânimo entusiasmo coragem	veneração devoção respeito desprezo	inveja ciúme cobiça indiferença	abundância escassez fartura abastança

4. Forme <u>novos verbos</u> com os *prefixos* indicados. Alguns dos verbos dados admitem mais do que uma possibilidade.

des-	correr (3x)	1. ______
	montar	2. ______
pre-	lembrar	3. ______
	dominar	4. ______
per-	animar (2x)	5. ______
re-	pensar (2x)	6. ______
	ver (2x)	7. ______
com-	codificar	8. ______
con-	fazer (3x)	9. ______

5. <u>Verbo</u> e <u>tempo</u> adequados. Complete as frases, de acordo com o seu sentido, com os novos <u>verbos</u> que formou no exercício anterior e conjugue-os no tempo adequado

1. Estou cansadíssima! Esta manhã ______________________ as lojas todas da Baixa para comprar uma prenda para a Rita.
2. Se nós não ______________________ a tenda antes das 19:00, vamos ter de ficar mais uma noite no parque do campismo.
3. Já falei com o Paulo e ______________________-o do concerto dos Madredeus. Distraído como é, já se tinha esquecido.

4. Fiquei fascinada com o Alentejo. Nunca tinha visto tantas vilas onde só ______________________ o branco e o azul.

5. Não ______________________! Hoje não conseguiste esse emprego, mas vais ver que vais conseguir arranjar outro rapidamente.

6. Se eu não puder ir ao cinema contigo, ______________________-te no domingo com um jantar nas Docas e desta vez sou eu quem paga.

7. Como nós já ______________________, eles desistiram da viagem ao Gerês.

8. Vê se consegues ______________________ esta mensagem que eu recebi. Não percebo nada.

9. Ainda não tive tempo para ______________________ as malas.

6. Escolha a alternativa correta.

1. Vamos descer o rio Mondego de canoa **a não ser que / embora / visto que** o tempo piore.

2. **Ainda que / Apesar de / A não ser que** eu não aprecie doces, gosto muito das queijadas de Sintra.

3. Só farei um cruzeiro no Douro **se bem que / desde que / a menos que** vocês me acompanhem. Não quero ir sozinho.

4. Tenciono ir ao concerto dos Madredeus **exceto se / logo que / se bem que** já não houver bilhetes.

5. **Dado que / Apesar de / Embora** adorarmos as praias algarvias, preferimos passar férias na costa alentejana.

6. **Caso / Se / No caso de** prefiras umas férias mais tranquilas, vai até Porto Covo.

7. Junte os elementos das três colunas de modo a formar uma nova palavra. Faça as alterações necessárias.

im-	motivar	-ível	**1.** ______________________
a-	perder		**2.** ______________________
	manhã	-ável	**3.** ______________________
in-	alterar	-ante	**4.** ______________________
des-	tarde		**5.** ______________________
en-	esquecer	-ecer	**6.** ______________________

8. Complete os espaços de acordo com as definições dadas.

1. S ___ ___ ___ ___ ___ ___ ___	Peixe muito apreciado pelos portugueses.
2. A ___ ___ ___ ___ ___ ___ ___ ___ ___	Arte típica de uma região.
3. S ___ ___ ___ ___ ___ ___	Diz-se do bacalhau seco que os portugueses comem, por ter muito sal.
4. G ___ ___ ___	Objeto tornado famoso em Barcelos, que tem a forma de um animal.
5. C ___ ___ ___ ___-V ___ ___ ___ ___	Sopa servida com uma rodela de chouriço.
6. A ___ ___ ___ ___ ___	Que não é doce.
7. C ___ ___ ___ ___ ___ ___ ___ ___	No Porto, este é o nome dado à bica.
8. P ___ ___ ___ ___ ___ ___ ___ ___ ___ ___	Só alguns destes profissionais conhecem o segredo dos Pastéis de Belém.
9. C ___ ___ ___ ___ ___ ___	Substância encontrada no café e em bebidas como a Coca-Cola.
10. C ___ ___ ___ ___ ___ ___	Café servido com mais água numa chávena pequena.

9. Assinale a alternativa correta.

1. Já **provaste / experimentaste / tentaste** Bacalhau à Brás?
2. Costumas **pôr / mexer / tirar** açúcar no café?
3. Ainda não **ganhei / matei / perdi** saudades do Porto. Tenho que lá ir!
4. É importante que **tomemos / tenhamos / façamos** cuidado com o açúcar.
5. Quando **andares / fores / estiveres** ao Chiado, vai beber um chá à Brasileira.
6. Ontem os alunos **formaram / construíram / ficaram** uma fila enorme à porta da secretaria.
7. Se fores ao Porto, **tira / faz / atira** fotografias.
8. Embora não a conheça bem, **fazemos / tocamos / damos** dois dedos de conversa sempre que nos vemos.
9. Posso **passar / escrever / preencher** um cheque para pagar os sapatos?
10. Já **fizeste / tiraste / arranjaste** a carta de condução?

10. **A associação "Conhecer Lisboa" propõe-lhe um passeio a pé pela cidade. Complete o programa, transformando as palavras dadas entre parênteses, utilizando os seguintes *sufixos* na forma correta.**

-gem / -ante / -ável / -ência / -oso / -(d)or / -ção / -ico

Passeio por Alfama

Agradecemos a sua ____________________ **(comparecer)** na Estação de Santa Apolónia às 10:00.

10.15 – Visita à Casa do Fado, onde se encontram ____________________ **(referir)** únicas ao historial deste género de música.

11.30 - Passeio por Alfama com ____________________ **(parar)** no Miradouro de Santa Luzia.

Daqui terá uma vista ____________________**(impressionar)** sobre o bairro de Alfama e o Rio Tejo.

12:30 – Almoço num restaurante típico muito ____________________ **(acolher)**, onde a ementa é ____________________ **(deliciar)** e o serviço ____________________ **(atenção)**. Depois de termos saboreado as especialidades ____________________ **(gastronomia)** do *Grelha de Prata*, iremos até à Sé Patriarcal, cuja ____________________ **(fundar)** remonta ao século XII. Nas ____________________ **(escavar)** arqueológicas que se encontram no claustro, poderemos observar vestígios da presença romana e moura.

15:30 – Visita ao Museu de São Vicente de Fora que, contrariamente ao que muitos pensam, é o Patrono de Lisboa. Com a ajuda dos azulejos que ornamentam os claustros, deixaremos voar a nossa ____________________ **(imaginar)** e reconstruiremos a história de Lisboa. Embora o táxi seja para muitos uma melhor ____________________ **(optar)**, nada melhor do que percorrer a pé as ruas estreitas da Colina do Castelo, a ____________________ **(urbanizar)** mais antiga de Lisboa. Terminaremos este nosso passeio no Castelo de São Jorge, onde lhe prometemos um pôr do sol ____________________ **(memorizar)**.

11. **Nem sempre tudo corre bem quando vamos de férias. Escreva uma carta de reclamação à sua agência de viagens, referindo, entre outras coisas, a péssima assistência do guia turístico durante a viagem, as más condições do hotel, as falhas no programa e os atrasos no transporte.**

Lisboa, ____________________ de ____________________

Assunto: ____

Exmos. Senhores,

____

____

____

____

____

____

____

____

____

____

____

____

____

____

____

____

____

____

____

____

____

____

____

____

Atenciosamente,

____

E se comprássemos uma revista?

7

1. Reescreva as frases, utilizando o *Presente* ou o *Imperfeito do Conjuntivo*. Faça as alterações necessárias.

1. É fundamental que **haja** mais solidariedade.
   Era fundamental que ______________________________.

2. Quero que tu **sejas** um elemento ativo no centro de apoio.
   Queria que tu ______________________________.

3. É necessário que ele **procure** um emprego melhor.
   Era necessário que ele ______________________________.

4. Era pouco provável que eles **sobrevivessem** naquelas condições.
   É pouco provável que eles ______________________________.

5. Convém que tu **vás** à associação o mais depressa possível.
   Convinha que tu ______________________________.

6. É importante que todos **percebam** a necessidade de apoiar os sem-abrigo.
   Era importante que todos______________________________.

7. Duvido que eles nos **atribuam** os subsídios.
   Duvidava que eles ______________________________.

8. Era preciso que todos **dessem** uma ajuda.
   É preciso que todos ______________________________.

9. Convém que **tragam** agasalhos para distribuir na próxima semana.
   Convinha que ______________________________.

10. Bastava que cada um de nós **comprasse** uma revista *CAIS* para melhorar a vida de muitos sem--abrigo.
    Basta que ______________________________.

11. Precisamos de angariar subsídios antes que **seja** tarde demais.
    Precisámos de angariar subsídios antes que ______________________________.

12. Preferia que **trabalhássemos** para uma organização sem objetivos lucrativos.
    Prefiro que ______________________________.

2. Complete o quadro com palavras de <u>sentido contrário</u>.

diminuísse	≠	
arriscar	≠	
útil	≠	
dispensável	≠	
conhecer	≠	
sozinho	≠	
mínimo	≠	
digno	≠	
emprego	≠	

3. Junte as frases, utilizando o *Imperfeito do Conjuntivo*. Siga o exemplo e faça as alterações necessárias.

1. Não temos subsídios. Não melhoramos as instalações da nossa associação.
   Se tivéssemos subsídios, melhorávamos as instalações da nossa associação.
2. Há poucos voluntários. Não distribuímos comida e agasalhos em todos os bairros carenciados.
   Se ____.
3. Recebemos poucas doações por ano. Não podemos receber mais sem-abrigo.
   Se ____.
4. Eles promovem poucas atividades. Assim, têm dificuldades em diminuir a exclusão social.
   Se ____.
5. Ele vende poucas revistas por dia. Não consegue pagar o quarto.
   Se ____.
6. Saímos sempre tarde do trabalho. Não podemos trabalhar como voluntários.
   Se ____.
7. Oferecem um salário muito baixo. Não mudo de emprego.
   Se ____.
8. Ele tem muitos problemas de saúde. Não pode ter um trabalho fixo.
   Se ____.
9. A taxa de desemprego não diminui. As expectativas sobre o futuro são negativas.
   Se ____.
10. As pessoas não são generosas. A recolha de alimentos e de roupa não é eficaz.
   Se ____.

4. **Complete as frases com os verbos entre parênteses, no *Presente* ou no *Imperfeito do Conjuntivo*, para cada situação apresentada à esquerda.**

O número de jovens desempregados tem aumentado nos últimos anos.

1. Oxalá a situação ______________ (melhorar), mas as oportunidades são muito poucas!

Há cada vez mais sem-abrigo na Europa e a situação tem tendência a piorar.

2. Oxalá não ______________ (haver) tanta miséria!

O Paulo vai a uma entrevista na segunda-feira. Ele está confiante, porque tem muita experiência.

3. Tomara que ele ______________ (ser) selecionado!

Apresentámos os pedidos de subsídios. Esperamos, assim, manter a nossa associação de solidariedade!

4. Oxalá ______________ (receber) mais verbas, mas é extremamente difícil!

Recebemos muitos contributos de hipermercados e de pequenos estabelecimentos, mas ainda não sabemos se serão suficientes.

5. Tomara que as recolhas alimentares ______________ (ter) os resultados esperados!

5. Encontre as palavras que, nas duas colunas, têm <u>o significado mais próximo</u>.

A	B
1. salário	**a.** atmosfera
2. ajudar	**b.** esperança
3. despedir	**c.** notar
4. posto	**d.** auxiliar
5. caridade	**e.** gratuito
6. reparar	**f.** dispensar
7. grátis	**g.** ordenado
8. saturar-se	**h.** cargo
9. expectativa	**i.** solidariedade
10. ambiente	**j.** fartar-se

6. O André anda à procura de emprego e pede alguns conselhos a um amigo. Complete as sugestões do Pedro com o *<u>Imperfeito</u>* ou o *<u>Futuro do Conjuntivo</u>*.

1. Não te preocupes. Se não ______________________ (ter) experiência, seria bem pior. E se te ______________________ (inscrever) numa agência de emprego?

2. Revê o teu CV. Se o ______________________ (atualizar), não te esqueças de referir os cursos de formação.

3. Se alguma empresa te ______________________ (chamar) para uma entrevista, prepara-te bem. Pensa no que gostarias de ouvir se tu ______________________ (ser) o entrevistador. Acima de tudo, age como se não te ______________________ (sentir) intimidado.

4. Não sejas demasiado seletivo. Se eu ______________________ (estar) no teu lugar, enviava o CV para várias empresas. Se o ______________________ (fazer), terás mais probabilidades de ser chamado.

7. **Faça duas frases exemplificativas de dois significados diferentes para cada palavra.**

1. postos ______________________________
____
2. liso ______________________________
____
3. direito ______________________________
____
4. reparar ______________________________
____
5. impressão ______________________________
____
6. estado ______________________________
____
7. capital ______________________________
____
8. provar ______________________________
____
9. exemplar ______________________________
____
10. cabeça ______________________________
____

8. **Complete as frases com os verbos entre parênteses conjugados no tempo verbal adequado.**

Chamo-me Paulo. Embora ______________ (eu / ser) licenciado em Turismo, ______________ (trabalhar) numa área completamente diferente. Quando ______________ (estar) a tirar o curso, ______________ (ter) muitos projetos, mas não ______________ (concretizar) nenhum deles. Naquela altura, eu já ______________ (saber) que não ______________ (ser) fácil encontrar um trabalho a tempo inteiro, mas nunca imaginei que ______________ (ser) tão difícil. Há quem ______________ (ser) corajoso e ______________ (enviar) o CV para o estrangeiro. Se eu ______________ (fazer) o mesmo, talvez ______________ (conseguir) arranjar um trabalho fixo e bem remunerado. Mas o que eu quero ______________ (ser) ficar por cá.

9. Reescreva as frases, substituindo as palavras destacadas pelas *conjunções* correspondentes e fazendo as alterações necessárias.

caso / desde que / mesmo que / embora / talvez / se bem que / mal

1. Não tinha nem família nem amigos, **mas** nunca aceitou a nossa ajuda.

____.

2. **No caso de** passares pela agência de emprego, vê se há novos anúncios.

____.

3. **Se calhar** eles tinham esperança de encontrar uma casa por pouco dinheiro.

____.

4. **Apesar de** estar desempregado, ele não fazia nenhum esforço para encontrar trabalho.

____.

5. Ele só doava algum dinheiro **na condição de** ser para uma organização de apoio a crianças.

____

____.

6. Eles nunca contribuiriam para nenhuma instituição de solidariedade, **nem mesmo se** lhes pedíssemos.

____

____.

7. Ele aceitou a nossa oferta **logo que** o contactámos.

____.

10. Responda a um dos anúncios.

Comercial

- Idade até 40 anos
- Conhecimentos de Informática na ótica do utilizador
- Experiência mínima de 5 anos
- Capacidade de relacionamento interpessoal e de persuasão
- Dinamismo e criatividade
- Disponibilidade para deslocações regulares
- Conhecimentos de Inglês

Diretor financeiro

(m/f)

Licenciatura em Gestão de Empresas, com experiência mínima de 3 anos em funções similares. Bons conhecimentos de Informática. Domínio de Inglês e Francês.

Conhecimentos na área do Mercado de Ativos Financeiros.

Capacidade de trabalho em equipa. Local: Porto.

Exmos. Senhores,

Em resposta ao vosso anúncio para ____

____

____

____

____

____

____

____

____

____

____

____

____

____

____

____

____

____

____

____

____

____

____

____

Agradecendo desde já a atenção dispensada,

Com os melhores cumprimentos,

____

Manda-lhe uma *SMS*.

8

367

1. Complete as frases com os <u>verbos</u> entre parênteses conjugados no tempo verbal adequado.

A. Tinhas recebido a minha *SMS* se tu…

1.____________________________ (ligar) o telemóvel.

2.____________________________ (esvaziar) a caixa de mensagens.

3.____________________________ (carregar) a bateria.

4.____________________________ (apanhar) rede.

5.____________________________ (pagar) o serviço de *roaming*.

B. Se eu já **tivesse acedido** à *Internet* em casa, eu já…

1. ____________________________ (criar) um blogue.

2. ____________________________ (abrir) uma página pessoal.

3. ____________________________ (consultar) informações *online*.

4. ____________________________ (gastar) menos dinheiro no Café Cibernético.

5. ____________________________ (descarregar) vários filmes.

6. ____________________________ (receber) mensagens instantâneas.

C. Vocês **tinham-se divertido** imenso, se…

1. ____________________________ (vir) connosco às Docas.

2. ____________________________ (conhecer) os nossos amigos italianos.

3. ____________________________ (ver) este filme.

4. ____________________________ (pôr) os patins.

5. ____________________________ (fazer) canoagem.

6. ____________________________ (ler) os meus comentários no blogue do Paulo.

2. Complete o quadro. Em seguida, preencha as frases com as palavras do quadro que achar adequadas.

Substantivo	Adjetivo
o consumo	
	obsessivo
a modéstia	
	idealista
a tecnologia	
	rebelde
	noturno
	laboral
a juventude	
a idade	

1. Há quem diga que os jovens são demasiado ____________________ devido à sua preocupação em estar na moda.
2. Digam o que disserem, é óbvio que o progresso ____________________ veio facilitar o nosso dia a dia.
3. Não há problema que os jovens sejam ____________________ desde que saibam assumir as responsabilidades na altura certa.
4. Se eu não tivesse sido um ____________________ na minha juventude, tinha acabado o curso.
5. Receio que o meu filho ande a exagerar nas saídas ____________________.
6. A média ____________________ dos jovens que mais consolas compraram este ano é de 20 anos.
7. Muitos jovens optam por ficar a viver mais tempo com os pais, entrando cada vez mais tarde no mundo ____________________.
8. Apesar de ser o melhor aluno da turma, ele é muito ____________________.
9. Embora ela pareça muito ____________________, já acabou o curso de Medicina há mais de 5 anos.
10. Desde que lhe deram o computador, não faz mais nada senão passar o tempo a jogar. É mesmo uma ____________________.

3. A Mariana e a Rita estão, mais uma vez, no *chat*. Escolha a alternativa correta.

Mariana diz:
Oi! Por aqui?
Rita diz:
Olá! Estava ali sem nada **a / para / por** fazer e resolvi vir até à *net*. O teu irmão já acabou o projeto de Informática ou anda outra vez **na / pela / da** borga?
Mariana diz:
Tem trabalhado bastante. É capaz de **tirar / marcar / fazer** uma boa nota. Há anos que ele não passa **de / sem / para** o computador.
Rita diz:
E com aquele professor… que passa sempre os trabalhos a pente **fino / grosso / largo**…
Mariana diz:
Houve uns tempos em que ele andava nas noitadas, mas agora acho que ele tem os pés bem assentes **à / na / entre** a terra.
Rita diz:
Bem, mas não deixa **de / para / por** ser curioso que ele não queira trabalhar naquela loja de computadores ao lado da vossa casa. Sempre amealhava algum dinheiro.

Mariana diz:
Ele é que sabe. Bem, tenho de ir. A minha mãe já anda **na / à / pela** beira de um ataque de nervos com o tempo que passo *online*.
Rita diz:
Ok, amanhã quando chegar à universidade, envio-te uma *SMS*.

4. Reescreva as frases começando por *se*. Utilize o *Imperfeito*, o *Futuro* ou o *Pretérito-mais-que-perfeito do Conjuntivo* e faça as alterações necessárias.

1. Eu abandonei a escola aos 16 anos. Nunca consegui arranjar um bom emprego.

   ____.
2. Ainda não mudei o tarifário do telemóvel. Paguei uma conta enorme.

   ____.
3. Talvez saia mais cedo logo à noite. Passo por tua casa e instalo-te o *Skype*.

   ____.
4. Não percebo nada de computadores. Tenho sempre de chamar um técnico lá a casa.

   ____.
5. Ontem não me consegui ligar à *net*. Não vi a minha caixa de *e-mail*.

   ____.
6. Não escrevi o endereço eletrónico corretamente. O servidor devolveu-me o *e-mail*.

   ____.
7. Talvez compre um portátil. Posso aceder à *net* em qualquer sítio.

   ____.
8. Ainda não tenho *net* em casa. Não posso entrar no *chat* e falar contigo.

   ____.

5. Complete as frases com as palavras corretas. Consulte o dicionário se necessário.

rato	motor de busca	programa	cursor	ecrã	tecla
telefone	ficheiro	consola	vírus	palavra-chave	

1. Esta ____________________ é fantástica! Tem jogos espetaculares. A minha é de um modelo mais antigo.
2. Esqueci-me outra vez da minha ____________________. Assim, não vou poder entrar na minha caixa de correio.

3. Sempre que receberes um *e-mail* com um ____________________ anexado, tem cuidado. É possível que seja um ____________________.
4. Se carregares nesta ____________________, abres uma nova janela.
5. A definição da imagem no meu ____________________ é péssima.
6. Se me tivesses pedido, tinha procurado essa informação no *Sapo*, o melhor ____________________ português, na minha opinião.
7. O meu ____________________ já não funciona como devia. Demoro imenso tempo a colocar o ____________________ no sítio que quero.
8. A programação anda péssima. Não há um ____________________ que se aproveite.
9. Sempre que acedo à *Internet*, o meu computador fica bloqueado. A ligação por ____________________, afinal, não é o que eu esperava.

6. Coloque os acentos necessários no *e-mail* que se segue.

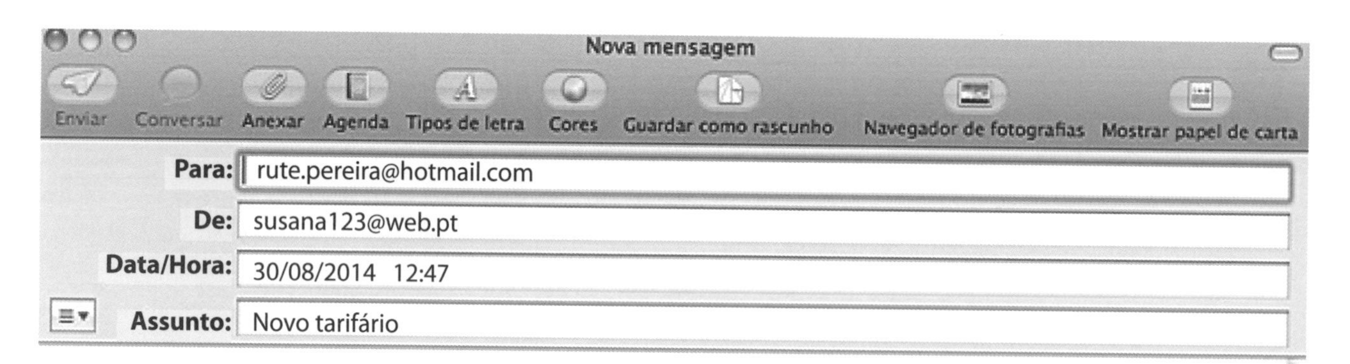

Ola Susana,

Tudo bem? Ontem telefonei-te varias vezes, mas nao te consegui apanhar. Dava sempre numero indisponivel e passava logo para a caixa de mensagens. Queria pedir-te os resumos da aula de Historia.

Hoje estive com a Raquel no cafe e falamos sobre o novo vicio do Carlos. Por incrivel que pareça, ele ainda nao se cansou daquele jogo de estrategia que lhe compramos. Passa horas de volta da consola! Da ultima vez que estive la em casa, descreveu-me os pormenores todos. Nao sei como e que ele suporta passar tanto tempo a olhar para o ecra.

Ja consultaste os novos tarifarios? Parece que vao lançar uma tarifa de 10 centimos por minuto para chamadas para a mesma rede e de 15 centimos para redes fixas. Imagina!

E verdade! E se fossemos a Santos logo a noite? Abriu um bar com um som fantastico perto do cafe do Zeca. Podiamos ir jantar aquele restaurante brasileiro de que tu gostas e depois iamos ate la. Da-me um toque para o telemovel.

Beijos

Rute

7. O Paulo e o Bruno costumam comunicar muito por *SMS*. Junte as frases das duas colunas de forma a reconstituir as mensagens enviadas pelos dois amigos.

1. Esqueci-me completamente de falar da saída de sexta ao Miguel. Agora já é muito em cima da hora.

2. Com tanta coisa para fazer não me lembrei que tinha exame amanhã!

3. Finalmente comprei a consola de que te tinha falado. Só que fiquei outra vez liso.

4. Que *stress*! A Rita ainda não me respondeu à mensagem de voz que lhe deixei.

5. Olha, não tive tempo para reservar os bilhetes para o concerto de sábado…

6. Ontem a festa foi fantástica. Tive pena que o teu irmão não estivesse lá connosco.

7. Afinal não vai dar para sair logo à noite. Os meus pais não me emprestam o carro.

A. Não acredito! E agora? Se me tivesses dito, tinha lá ido eu. É bem provável que já esteja tudo esgotado.

B. Não te preocupes. Se a tivesse ouvido, já te tinha respondido. Ou ainda não ligou o telemóvel ou ficou sem saldo.

C. Também eu! Se ele não tivesse tido aquela nota no exame, tinham-no deixado ir.

D. Ainda vais a tempo. Se lhe disseres, ele vai de certeza. Está sempre pronto para uma noitada.

E. O que é que querias? Se não andasses sempre na borga, já to deixavam levar.

F. Pois! Se não tivesses gasto o dinheiro todo, podíamos ir sair logo à noite.

G. Nem eu. Oxalá tivéssemos estudado. Não vai ser nada fácil!

8. **Há algum tempo que o Miguel criou uma página na *Internet*, onde mantém um blogue, uma espécie de diário onde vai descrevendo as suas experiências. Como em todos os blogues, também o blogue do Miguel tem um espaço reservado aos comentários dos leitores. Depois de o ler, deixe-lhe o seu.**

Há quem diga que faço parte da geração digital, só porque, como muitos outros, visto LEVI´s, gosto da noite e troco os livros pelo ecrã do meu PC. Bem-vindo ao século XXI, com todos os seus meios de comunicação! Como muitos outros filhos da era tecnológica, distraio-me, por vezes, esquecendo-me do que tenho de fazer no mundo real e perco-me no Skype. Mas quem é que já não passou por fases assim? Será que o mundo para, só porque tive más notas?
A tentação é grande, meus amigos... Basta um toque no telemóvel e comunico com um amigo, que até usa *roaming*, no outro lado do planeta. À minha frente, tenho uma *webcam* que me permite ver e conversar, em tempo real, com a Sara que está num ERASMUS em Londres. Ainda guardo a foto que lhe tirei no telemóvel... Estar vivo é comunicar, seja de que maneira for. Se tivesse nascido há 30 anos, faria o mesmo, mas de outra forma. Espero que, quando tiver 50 anos, não me torne num crítico amargo. Talvez os meus pais também pensassem assim quando tinham a minha idade. Será que já se esqueceram de como era?

A tua avó é estudante?!

9

A tua avó é estudante?!

1. **Na secção de Estética e Saúde de uma revista, dois leitores colocam questões a um especialista que, na mesma página, lhes responde. Contudo, os seus textos de resposta não estão completos. Complete-os com os verbos entre parênteses no tempo verbal adequado.**

Estética & Saúde

Sinto-me muito insatisfeito com o tamanho das minhas orelhas. Ando a pensar em fazer uma cirurgia, mas gostaria de saber se vou ficar com cicatrizes e se há muitos riscos. Qual é o tempo de recuperação?

Bernardo, 24 anos

Atualmente essa cirurgia ______________________ (ser) bastante simples. Embora as cicatrizes ainda ______________________ (demorar) algum tempo a estabilizar, é bem provável que a recuperação ______________________ (estar) completa ao fim de 4 semanas. Não ______________________ (você / preocupar-se), pois não ______________________ (ser) visíveis. Sugiro-lhe que ______________________ (você / escolher) com cuidado o cirurgião e o local da operação para que não ______________________ (você / correr) riscos desnecessários.

Fiz uma cirurgia plástica ao nariz há cerca de duas semanas. Disseram-me que não podia ir à praia este verão, pois poderia ser prejudicial. É verdade?

Inês, 34 anos

Desde que não ______________________ (você / ter) cicatrizes exteriores, poderá fazê-lo. ______________________ (ir) à praia, mas ______________________ (tomar) as precauções necessárias. Não ______________________ (expor-se) ao sol nas horas mais perigosas e aconselho-a a ______________________ (comprar) um protetor solar com um elevado índice de proteção. Se não ______________________ (ser) cautelosa, poderá pôr em risco a sua recuperação.

2. **Encontre as palavras que, nas duas colunas, têm o significado mais próximo.**

A	B
1. recorrer	**a.** radical
2. expansão	**b.** rápido
3. banalização	**c.** desejar
4. cirurgia	**d.** descontrolada
5. aspirar	**e.** prescindir
6. expedito	**f.** difusão
7. recomendação	**g.** vulgarização
8. desenfreada	**h.** utilizar
9. dispensar	**i.** conselho
10. drástico	**j.** operação

3. <u>Complete as palavras</u> de acordo com o sentido do texto cujo tema é a preocupação que muitas pessoas têm com a sua imagem.

São cada vez mais as pessoas que resolvem transformar o **c** ___ ___ ___ ___ por não gostarem da sua **i** ___ ___ ___ ___ ___ exterior. Enquanto alguns apenas recorrem a **t** ___ ___ ___ ___ ___ ___ ___ ___ **s** de beleza pontuais, não dispensando uma ida ao SPA e ao **s** ___ ___ ___ ___ ___ ___ para um bronzeado permanente, há quem tome medidas um pouco mais **d** ___ ___ ___ ___ ___ ___ ___ **s** para parar o avanço do relógio biológico. Não hesitam em pedir conselhos a **c** ___ ___ ___ ___ ___ ___ ___ ___ ___ plásticos de forma a contrariarem o processo de **e** ___ ___ ___ **l** ___ ___ ___ ___ ___ ___ ___ ___. Quer se trate de alterar algumas **r** ___ ___ ___ ___ de expressão ou de ter uma barriga mais **l** ___ ___ ___, há sempre um bisturi pronto a ser usado.

4. <u>Caça ao intruso.</u>

A. Selecione a palavra que não pertence a cada grupo.

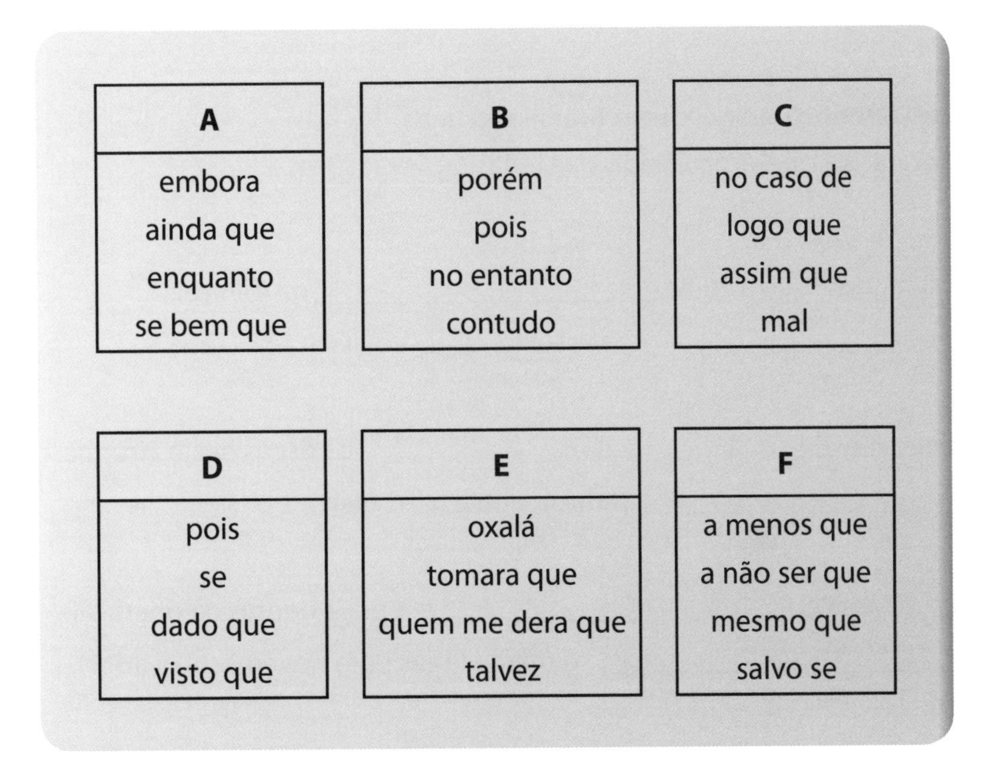

A
embora
ainda que
enquanto
se bem que

B
porém
pois
no entanto
contudo

C
no caso de
logo que
assim que
mal

D
pois
se
dado que
visto que

E
oxalá
tomara que
quem me dera que
talvez

F
a menos que
a não ser que
mesmo que
salvo se

B. <u>Complete as frases</u>, utilizando as palavras que selecionou.

1. ____________________ tu me tivesses dito que não custava nada, eu já teria feito a plástica.

2. ____________________ de não ficar satisfeita com o tratamento, contacte-nos.

3. ____________________ gostar de ser como sou, não vou transformar o meu corpo.

4. ____________________ ela não tenha coragem para fazer uma mudança tão radical.

5. Vou aumentar os meus lábios ____________________ seja muito dispendioso.

6. Nunca recorri à cirurgia plástica, ____________________ quero envelhecer naturalmente.

5. O texto seguinte contém tempos verbais incorretos. Corrija-os.

Façam o que fazem, eles defendem que "velhos são os trapos". Sem se esqueçam de si próprios e sem se deixarem cair no sedentarismo, estes idosos ativos não acreditam que a idade os pudesse vencer. Mesmo que não tivesse tido o apoio dos filhos, Maria Alice tem feito aquela viagem a Paris que sempre queria fazer. Quanto regressou, sentia-se como se era uma adolescente. Mas não é só em viagens que muitos idosos se inspirem. Aos 75 anos, Vítor Rodrigues inscreveu-se num curso de História da Arte na Universidade para a Terceira Idade. Apesar de tiver menos tempo para os netos durante a semana, o seu dia a dia mudava radicalmente, desde que recomeçou a estudar. Estar ativo inteletualmente contribui para que se sente ativo e integrado. Até já pense em fazer parte da associação de estudantes, o que o obrigar a criar amizades com estudantes de outros cursos.

6. Complete as frases com os verbos entre parênteses no tempo adequado.

Exemplo

Não sei se **tenho** coragem para tirar estas rugas.
Se **tiver**, faço a operação depois das férias de verão. (**ter**)

1. Não sei quando é que a Paula ______________________ da Clínica.
   Se ela ______________________ até sexta, ainda vou visitá-la. **(sair)**

2. Preciso que me diga quais ______________________ os riscos desta cirurgia.
   Caso ______________________ muitos, não a farei. **(ser)**

3. Não faço ideia se eu ______________________ ir à praia depois da operação.
   Se não ______________________, só marco férias para novembro. **(poder)**

4. Ela quer saber quanto ______________________ uma lipoaspiração.
   ______________________ o que ______________________, está decidida a fazê-la. **(custar)**

5. Conta-me o que o cirurgião lhe ______________________ sobre os riscos do *Botox*.
   Se o meu me ______________________ o mesmo, eu não teria feito o que fiz. **(dizer)**

6. Ainda não me disseste se ______________________ disposta a ir à consulta.
   Caso ______________________, marca-a já para a semana. **(estar)**

7. **A Alberta e a Rita têm opiniões bastante diferentes relativamente às cirurgias plásticas. Leia os seus comentários e passe-os para o Discurso Indireto. Utilize os verbos *dizer*, *comentar* e *acrescentar*.**

A. Alberta, 54 anos, professora

Um dia, olhei-me ao espelho e não gostei da minha imagem. Sinto-me a envelhecer rapidamente e não suporto a imagem destes papos debaixo dos olhos. Vou marcar uma consulta com um cirurgião que me informe sobre a cirurgia e sobre o processo pós-operatório. Se vir que não é uma cirurgia complicada, vou fazê-la. Espero que não me arrependa. Oxalá consiga rejuvenescer uns dez anos. Não acho que seja um sintoma de vaidade alterar o nosso corpo.

____

____

____

____

____

____

____

____

____

B. Rita, 48 anos, gestora

Tenho 48 anos e muitas rugas de expressão. Envelheci muito nos últimos anos, mas nunca pensei recorrer a uma cirurgia plástica. Envelheça o que envelhecer, a idade mental é o mais importante para mim. Acho que há muitas pessoas que deviam fazer sessões de terapia em vez de alterarem o físico.

____

____

____

____

____

____

____

____

8. **Passe o texto seguinte para o Discurso Direto. Faça as alterações necessárias.**

A Ana disse à Susana que, embora se sentisse frustrada, sempre que olhava para o espelho, todos pensavam que ela era a pessoa com mais autoconfiança que conheciam. Na verdade, tinha medo que a acusassem de vaidade por querer fazer uma plástica. A Susana propôs-lhe que marcasse uma consulta na clínica perto da casa dela, onde tinha sido operada há dois anos. Disse-lhe que era importante que ela se sentisse bem consigo própria e que não se devia importar com o que outros pudessem pensar. Quando a Ana lhe perguntou se ela achava que podiam surgir complicações depois da cirurgia, a Susana respondeu-lhe que era natural que a recuperação demorasse algum tempo, mas que, depois das primeiras semanas, o inchaço desapareceria e as cicatrizes não seriam visíveis.

Ana ______________________________

____

____

____

____

____

Susana ______________________________

____

____

____

____

Ana ______________________________

____

____

____

Susana ______________________________

____

____

____

____

9. São cerca de trinta as estâncias termais que, de norte a sul de Portugal, lhe podem proporcionar uma sensação de bem-estar e de prazer. Consulte os programas de duas dessas estâncias e escolha o que melhor lhe parecer. Em seguida, escreva um *e-mail* a inscrever-se e a pedir informações.

Localização: Curia

Programa "Corpo em forma"

Duches, hidromassagem, sauna, piscina de reabilitação, massagem com pedras vulcânicas, limpeza facial, sessão de ginástica localizada e ioga.

Equipamentos:

Hotel, piscina, circuito de manutenção, bar e restaurante.

Preços: sob consulta

Localização: Caldas de Monchique

Programa "Anti *stress*"

Aplicação de algas marinhas, banho turco, camas de descanso aquecidas, pressoterapia, aromaterapia, duche de jato.

Equipamentos:

Hotel, *courts* de ténis, desportos de aventura e animação cultural.

Preços: sob consulta

10

Os jornais gratuitos foram uma boa ideia.

1. Responda às perguntas, substituindo a parte sublinhada por um pronome pessoal de complemento e conjugue os verbos em itálico no *Futuro do Indicativo*. Faça a contração pronominal quando for necessário.

Exemplo

- Já entregaste **a tua crónica**?
- **Entregá-la-ei** assim que estiver pronta.

1. Já *comprei* **o *Expresso***. E tu?
   ________________________ logo à tarde.
2. Quando é que vocês **me** *enviam* **uma cópia do artigo**?
   ________________________ , assim que estiver pronto. Não te preocupes.
3. *Leste* **o suplemento do *Correio da Manhã***?
   Ainda não, ________________________ à hora de almoço.
4. Ouvi dizer que *vão lançar* **essa revista num formato mais pequeno**. É verdade?
   Sim, a editora ________________________ já em março.
5. *Viste* **o *e-mail* que te mandei**?
   Ainda não tive tempo. ________________________ quando chegar ao escritório.
6. Pretendem *aumentar* **a tiragem em 100 000 exemplares**?
   Sim, ________________________ a partir do verão.
7. Quando tiveres tempo ajudas-me a *digitalizar* **estas imagens**?
   Claro! Nós ________________________ juntos e verás como se faz.
8. Faz ideia de quando *publicarão* **a minha reportagem sobre o desemprego**?
   Nós ________________________ no suplemento da próxima semana.
9. Em quantas páginas vão *reduzir* **a revista**?
   Eles ________________________ em cerca de 7 páginas.
10. Quando é que **me** *dás* **os resultados da sondagem**?
    ________________________ quando os tiver.
11. Vocês já *telefonaram* **à Raquel** para obter a autorização por escrito?
    ________________________ mal ela volte de férias.
12. Quando é que o Pedro **me** *vai enviar* **o editorial**?
    Ele ________________________ assim que receber os dados.

2. <u>Caça ao intruso</u>. **Selecione o elemento que *não* se integra em cada grupo.**

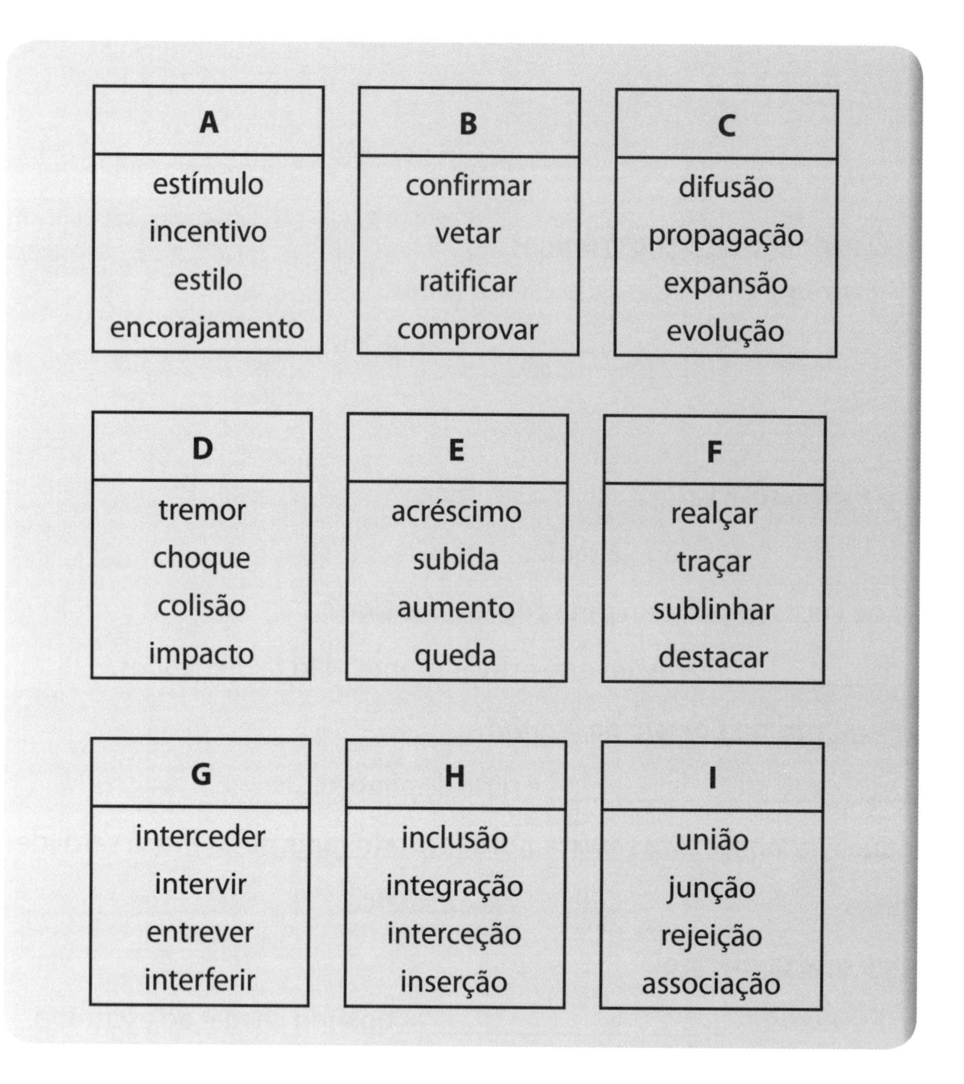

A	B	C
estímulo	confirmar	difusão
incentivo	vetar	propagação
estilo	ratificar	expansão
encorajamento	comprovar	evolução

D	E	F
tremor	acréscimo	realçar
choque	subida	traçar
colisão	aumento	sublinhar
impacto	queda	destacar

G	H	I
interceder	inclusão	união
intervir	integração	junção
entrever	interceção	rejeição
interferir	inserção	associação

3. **Faça <u>duas frases exemplificativas de dois significados diferentes</u> para cada palavra.**

1. medidas ______________________________

____

2. dados ______________________________

____

3. tira ______________________________

____

4. face ______________________________

____

5. partido ______________________________

____

6. segundo ______________________________

____

7. papel ______________________________

____

8. princípio ______________________________

____

9. decora ______________________________

____

10. cobre ______________________________

____

11. acordo ______________________________

____

12. só ______________________________

____

4. Complete o quadro.

Substantivo	Verbo	Adjetivo
a modernização		
		largo
		pacífico
	crer	
a democracia		
	solidarizar	
		resoluto
	apurar	
a diversidade		

5. Complete as notícias com as palavras do quadro. Contraia as preposições com os artigos quando necessário.

de	segundo	de acordo	visto que
entre	junto	na sequência de	devido a
quais	apesar de	no que diz respeito a	a
para	por	em	

1. Três pessoas morreram ____________ um embate de um camião com um veículo ligeiro que seguia ____________ grande velocidade na A1. ____________ informações da polícia, o condutor do veículo que se despistou conduzia ____________ estado de embriaguez.

2. ____________ a requalificação urbana de Castro Marim, já foi iniciada a construção de um novo centro polidesportivo, uma obra que gerou bastante polémica ____________ a sua localização. O arquiteto Francisco Nunes, responsável pelo projeto, prevê que a obra fique concluída em agosto do próximo ano.

3. Vários objetos de arte foram ontem roubados de um apartamento em Lisboa. ____________ com Luís Gomes, o proprietário, os assaltantes terão usado uma cópia da chave, ____________ não há qualquer indício de arrombamento.

4. A PSP deteve cinco homens, dois dos ____________ estrangeiros, suspeitos ____________ pertencerem a um bando organizado que assaltava pessoas ____________ a caixas de Multibanco. Fonte da PSP disse que os indivíduos, ____________ os 35 e os 42 anos, atuavam no Campo Grande.

5. ____________ a qualidade das águas fluviais ter melhorado, ainda existem locais impróprios ____________ tomar banho, revelou ontem Teresa Sousa, responsável ____________ as análises efetuadas pelo Ministério da Saúde. A lista das praias afetadas encontra-se disponível *online*.

6. Responda às perguntas, substituindo a parte sublinhada por um pronome e conjugando os verbos em itálico no *Condicional*.

Exemplo

- Quando é que *acabas* **a reportagem** sobre os incêndios?
- Se já tivesse todos os dados, **acabá-la-ia** hoje.

1. – Porque é que não *incluem* **este artigo** no próximo número?

   – Se tivéssemos espaço, ______________________ , mas já está tudo paginado.
2. – Podes *pedir* **à Sónia** que escreva uma coluna para a próxima edição?

   – Se a conhecesse melhor, ______________________ . Por isso, é melhor seres tu a falar com ela.
3. – Quando é que vais *entrevistar* **o diretor da fábrica**?

   – Se fosse possível, ______________________ já na próxima sexta-feira, mas ele não vai estar no país antes do fim do mês.
4. – Nunca **me** *deram* **o Metro** no semáforo perto da Rua das Amoreiras.

   – Se passasses por lá mais cedo, ______________________ .
5. – Não *sabíamos* que **a gasolina ia aumentar**.

   – Se vocês ouvissem as notícias de manhã, ______________________ .
6. – Porque é que não *aceitas* **o trabalho**?

   – ______________________ , se me oferecessem um salário melhor.

7. Pontue o texto.

A Associação *Fotoimagem* inaugurará no dia 9 de julho o seu novo espaço cultural localizado no Chiado Bruno Mendes presidente da Associação sublinhou que será um momento significativo para todos nós que nos temos empenhado na divulgação da imagem como arte em condições muitas vezes adversas Considerando a existência deste espaço como uma mais-valia para a cidade Bruno Mendes realçou que este projeto apenas se concretizou graças aos contributos de vários fotógrafos o que resultou num espaço agradável onde se realizarão exposições cursos de fotografia *workshops* e tertúlias A cerimónia de inauguração contará com a presença da vereadora do Pelouro da Cultura Carla Resende

8. **Complete o crucigrama.**

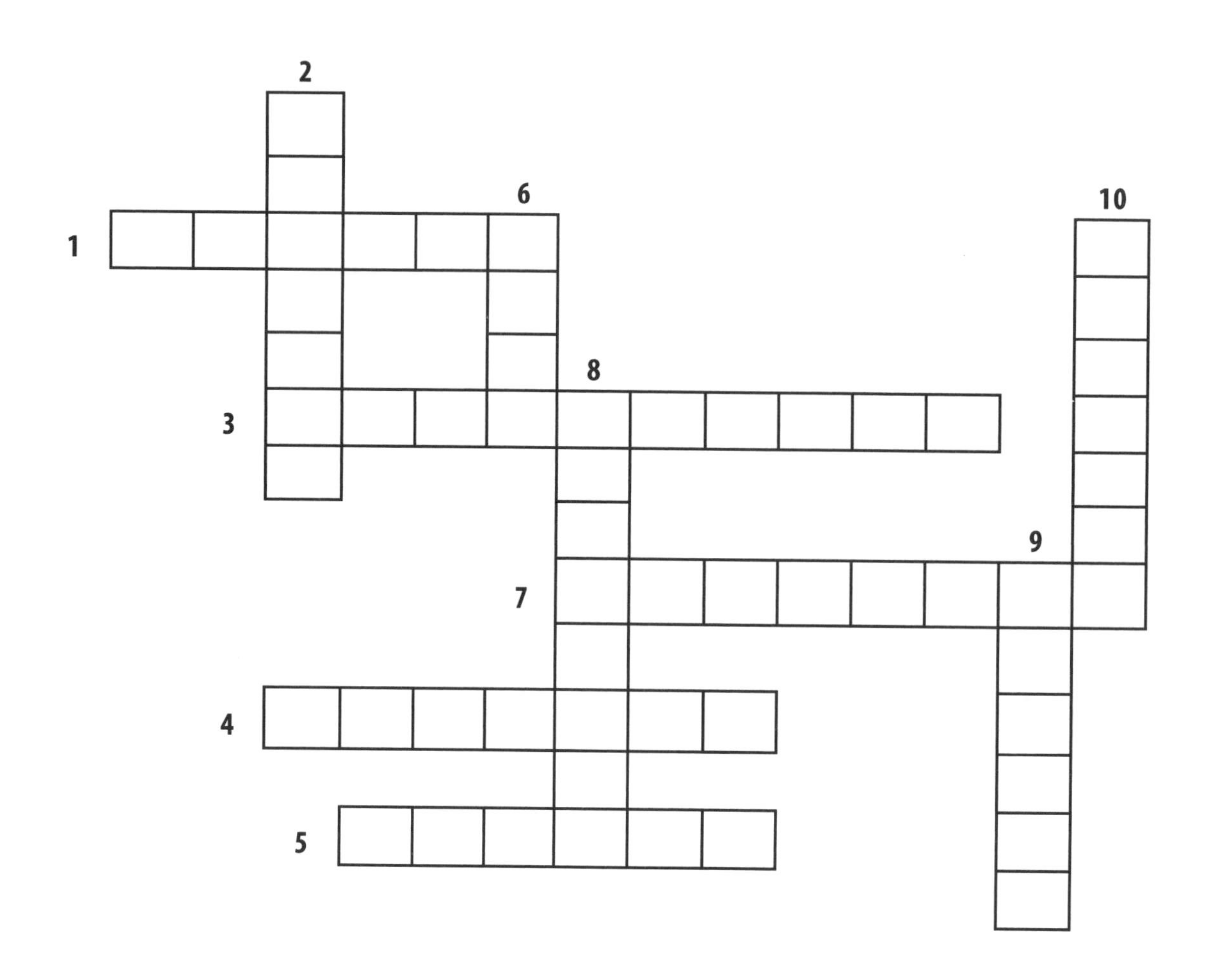

1. Onde é que puseste o ____________________? Ainda não o li.
2. A revista foi um sucesso tão grande que vão aumentar a ____________________.
3. Sabes quantos ____________________ do Metro são distribuídos por dia em Lisboa?
4. Vi hoje um ____________________ em que pediam Informáticos com experiência.
5. Qual é o teu jornal ____________________ preferido?
6. Há quem só leia os títulos, mas também há os que ____________________ o jornal de uma ponta à outra.
7. O jornal faliu por falta de ____________________.
8. Quando é que vão ____________________ a tua crónica?
9. Vamos incluir uma reportagem sobre a Europa dos 28 na próxima ____________________.
10. O jornal de ontem tinha alguns ____________________ muito interessantes sobre o futuro da União Europeia.

9. **Escolha um dos títulos e escreva uma notícia.**

Benfica em vantagem
Mau tempo lança milhares no desespero
Descoberto fóssil com 20 milhões de anos
Greve geral de transportes deixa cidade em polvorosa
Parquímetro falante assusta transeuntes

Você já foi à Amazônia?

1. Das palavras que se seguem, assinale as que se encontram escritas em Português Europeu. Em seguida, escreva a versão europeia das que estão em Português do Brasil.

praticar	
Amazônia	
projetos	
ação	
dezessete	
contatar	
setor	
atividade	
voo	
metrô	
teto	
econômico	

ideia	
atriz	
arquiteto	
atual	
ator	
ótimo	
eletricidade	
atualidade	
direto	
constatámos	
europeia	
dezanove	

2. Cada frase tem algo que não está correto em Português Europeu, mas que se usa no Português do Brasil. Encontre o "erro", palavra ou expressão, e escreva a versão usada em Portugal.

1. Tenho que ir. Vou pegar o barco que sai daqui a 5 minutos.

___

2. Tenho o meu carro avariado. Vou pedir carona à Cristina.

___

3. Esqueci-me da carteira. Preciso voltar a casa.

___

4. Quando liguei para o Dr. Fonseca, ele não havia ainda chegado.

___

5. Como você foi para casa ontem?

___

6. Ontem à noite, cheguei em casa tardíssimo.

___

7. Espera um pouco. Vou jogar o lixo fora e já volto.

___

8. Vou em casa buscar o meu casaco. Não demoro nada.

____

9. De fato, não gostei muito desse filme.

____

11. Não tenho muita fome. Vou só tomar uma sopa.

____

12. Cadê o meu livro?

____

13. A Maria ficou tiririca da vida porque o João não a convidou para o jantar.

____

14. Estou com um baita problema. Preciso da tua ajuda.

____

3. No quadro abaixo encontra-se algum vocabulário em Português do Brasil. Escreva as palavras ou expressões correspondentes em Português Europeu.

pão-duro	
o café da manhã	
o trem	
o ônibus	
o bonde	
a geladeira	
o banheiro	
o celular	
o caixa eletrônico	

o chope	
o sorvete	
botar	
bater um papo	
a cuca	
bacana	
bobagem	
um cara	
um tapa na cara	

4. Imagine que era eleito Presidente da Câmara (ou um posto equivalente) da sua cidade ou vila. Escreva um texto com a visão que tem sobre ela, não se esquecendo de mencionar não só os aspetos positivos, mas também os negativos. Apresente os principais projetos que pensa desenvolver durante o seu mandato.

____

____

____

____

Não queres acompanhar-me ao Lubango e ao Namibe?

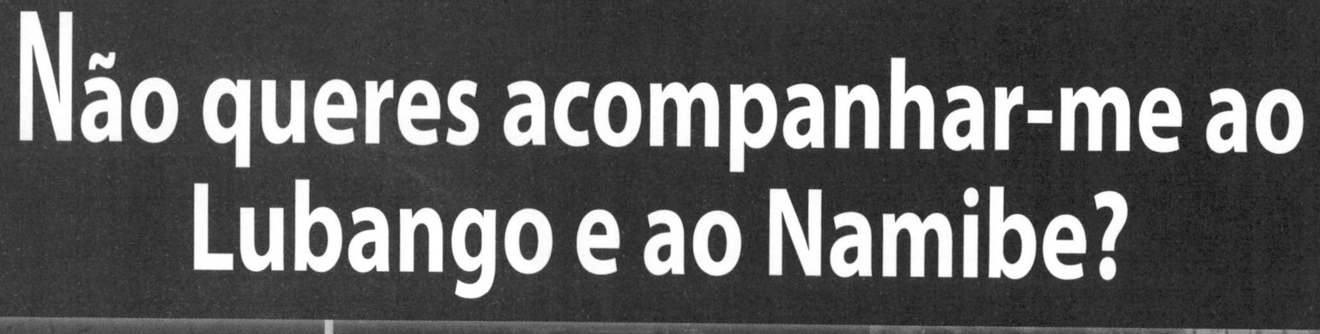

1. **Complete o quadro com palavras que tenham um *sentido contrário*.**

litoral	≠	
húmido	≠	
urbano	≠	
atual	≠	
a riqueza	≠	
semelhante	≠	
escassear	≠	
ocidental	≠	
montanhoso	≠	
dominador	≠	
estéril	≠	

2. **Relacione cada verbo com um elemento da coluna da direita de modo a formar uma expressão e, em seguida, faça frases com elas.**

A	B
1. pedir	**a.** dificuldades
2. valer	**b.** de pretexto
3. cair	**c.** boleia
4. tomar	**d.** a pena
5. ter	**e.** o rebanho
6. servir	**f.** um mergulho
7. dar	**g.** independente
8. tornar-se	**h.** medidas
9. atravessar	**i.** capacidade
10. guardar	**j.** no esquecimento

1. ____________________
2. ____________________
3. ____________________
4. ____________________
5. ____________________
6. ____________________
7. ____________________
8. ____________________
9. ____________________
10. ____________________

3. Complete as frases com as preposições que faltam, contraindo-as com os artigos quando necessário.

1. Os angolanos da Huíla são conhecidos ____________________ xicoronhos.
2. Devido ____________________ as suas características climatéricas, a Huíla presta-se ____________________ a agricultura.
3. O povo dessa região dedica-se ____________________ a criação de gado.
4. Este café é proveniente ____________________ que país africano?
5. Ontem fui a um jantar de homenagem ____________________ um escritor africano ____________________ que gosto muito.
6. Se tiver oportunidade, estou pronta ____________________ colaborar ____________________ esse projeto de desenvolvimento de Angola.
7. Esses dois países encontram-se separados ____________________ um rio.
8. ____________________ que é que te estás a rir? Achaste piada ____________________ a história que ele contou?

4. Complete o quadro.

Substantivo	Verbo
a proveniência	
a festa	
o acolhimento	
o plano	
a consciência	
a deturpação	
a proposta	
a diversão	
a homenagem	
a afluência	
o sabor	
a colónia	

5. **Relacione cada *substantivo* com um *adjetivo* da coluna da direita.**

A	B
1. fortificação	**a.** recreativa
2. gado	**b.** direto
3. língua	**c.** desértica
4. associação	**d.** quotidiano
5. hábito	**e.** indígena
6. povoação	**f.** militar
7. voo	**g.** portuária
8. escarpa	**h.** local
9. região	**i.** gigantesca
10. povo	**j.** caprino

6. **Imagine que vai trabalhar para Angola, num projeto de desenvolvimento, numa área que considera carenciada. Descreva esse projeto e exponha as razões pelas quais acha que ele é importante para o desenvolvimento deste país.**

UNIDADE 1

1.

1. Com que é que os teus/seus colegas estão insatisfeitos?
2. a. Com quem é que foste/foi à agência?
b. Aonde foste/foi?
3. a. O que é que vais/vai entregar à Sandra?
b. A quem é que vais/vai entregar esta carta?
4. Em que é que o João trabalha?
5. De que é que eles estavam a falar?
6. De quem é este currículo?
7. Há quanto tempo estás/está desempregado?
8. Qual foi o emprego mais interessante que tiveste/teve?
9. Porque é que não foste/foi trabalhar para lá?
10. Quantos candidatos já entrevistaram?
11. Até quando é que precisas/precisa da minha resposta?
12. Como é que eu chego mais depressa?
O que é que eu faço para chegar mais depressa?

2.

1. b.
2. b.
3. a.
4. c.
5. b.
6. c.
7. b.
8. b.

3.

1. encontrarem; digam
2. decidi; senti
3. fui; estava
4. assines; falares
5. vêm
6. Decidam; falarem
7. tivemos; ser
8. era
9. tenho chegado
10. vinham; viram

4.

A. risco
B. obstáculo
C. desembarcar
D. pesadelo
E. desistir
F. acabar

5.

1. f.
2. d.
3. g.
4. e.
5. b.
6. c.
7. a.

6.

1. ...fi-la.
2. ...a enviei.
3. ...entregámo-los.
4. ...o montaram.
5. ...os lemos.
6. ...o tenho.
7. ...pô-lo.
8. ...os trouxe.
9. ...deram-mas.
10. ...o entregaram.

7.

(As soluções para a primeira parte do exercício podem ser verificadas na segunda parte que se segue.)
1. ferro-velho
2. saca-rolhas
3. para-brisas
4. porta-bagagens
5. beira-mar
6. segundas-feiras
7. guarda-chuvas
8. palavra-chave
9. obra-prima
10. belas-artes

8.

Escreva; reflita; Analise; estabeleça; Consulte; Vá; Lembre-se; Dê; descubra; se esqueça

9.

H	O	G	A	S	T	A	D	O	R	R	D	I
O	P	O	T	I	M	I	S	T	A	I	R	S
S	A	R	R	O	G	A	N	T	E	S	L	T
O	C	S	I	M	P	A	T	I	C	O	M	T
C	I	O	D	B	C	O	U	S	A	D	O	I
I	E	X	E	R	A	G	E	F	C	L	S	M
A	N	L	I	N	D	O	L	E	N	T	E	I
V	T	V	O	I	M	D	Q	D	U	V	A	D
E	E	X	T	R	O	V	E	R	T	I	D	O
L	B	C	A	M	B	G	A	S	Q	U	R	E

10.

1. para
2. Por
3. para
4. para
5. por
6. por
7. pelas
8. Por

11.

com; frustração; desempenham; Trocar; motivante; coragem; tomar; grau; cada; vida; para; correm; vez; tão; portas; petisca

UNIDADE 2

1.

1. tenhamos
2. ponha
3. te dirijas
4. coloquem
5. dobres; espalmes
6. ensinemos
7. facilitem
8. cumpram

2.

1. ...despeje
2. ...gira
3. ...sejam
4. ...tenham
5. ...haja
6. ...esteja
7. ...esteja
8. ...paguem

3.

(As respostas dependem dos materiais usados no país do aluno para cada produto.)
Papel / Cartão: pacote de detergente em pó; revista; livro velho; fotografias velhas; caixa de bombons
Metal / Plástico / Embalagens: lata de conserva; pacote de leite; champô; garrafa de lixívia; lata de Coca-Cola; gel de banho; amaciador de roupa; embalagem de iogurte líquido
Vidro: garrafa de azeite; frasco de doce; frasco de perfume; boião de iogurte

4.

1. seja
2. promovam
3. é
4. tem
5. organizem
6. diminuam
7. resolva
8. se preocupem
9. querem
10. tenha

5.

sujar; sujo
a limpeza; limpar
a poluição; poluído
selecionar; selecionado
a reciclagem; reciclar
a dificuldade; dificultar

6.

1. Embora seja importante...
2. Caso tenha dúvidas...
3. Basta que nós olhemos... para que vejamos que...
4. Antes que buzines...
5. ...sem que verifiquem...
6. Talvez haja greve,...
7. Caso te preocupes...
8. Talvez tenhas razão.
9. É importante que as pessoas mudem...
10. ...até que termines...

7.

para; com; entre; de; ao; em; de; de; para; para; numa; com; em; de; de/por; aos; por; Sem; de; dos; dos

8.

1. reciclar
2. trânsito
3. separar
4. cartão
5. poluição
6. piorar
7. lixo
8. vidro
9. ruído
10. pacote

9.

1. Embora haja pessoas que separam o lixo em casa, muitas não esvaziam as embalagens de cartão.
2. Para que a vossa campanha sobre práticas ambientais seja mais eficaz, façam cartazes e...
3. Embora muitos jovens adorem ir à discoteca, não sabem que podem vir a...
4. Caso tenhas tempo e disponibilidade, fala com os...
5. Se bem que os problemas ambientais sejam muito sérios, as pessoas...
6. Ainda que existam bastantes ecopontos, eles não são suficientes para o lixo que...

UNIDADE 3

1.

1. vás; informes
2. consigam
3. possas
4. deem
5. indiquem
6. se adaptem
7. ajude
8. diga

2.

1. os custos
2. um negócio
3. dificuldades
4. os estudos
5. o coração
6. à aventura
7. natureza
8. dependência

3.

trabalhe; faça
promova; saiba; possa
ajude
esteja; dê; se disponha; fale; saiba

4.

1. f.
2. e.
3. a.
4. i.
5. g.
6. h.
7. b.
8. c.
9. d.

5.

1. ...**fiquemos**...
2. ...não **seja**...obtê-la **por** mais um ano.
3... ...**viva**...
4. ...**indiquem**...
5. ...**dominemos**...
6. Eles **vêm**...lhes **permita**...
7. Há quem **decida**...
8. ...não **haja** nenhuma...
9. ...**aprendam**...
10. Veio a Portugal...e acabou **por**...

6.

4; 8; 1; 3; 7; 2; 6; 5; 10; 9

7.

A. são
B. além disso
C. enquanto
D. ganha
E. no caso de
F. dou

8.

1. emigrar
2. mudar
3. início
4. grande
5. regressaram
6. autorização
7. nacionalidade
8. turista
9. emprego

9.

estejas; conheça; vá; dê; fique; volte; se adapte; vá; queiramos; consiga; venhas

UNIDADE 4

1.

A.
1. mantêm
2. contenha
3. detenho
B.
1. suponho
2. propôs
3. repôs
4. dispõe/dispunha
C.
1. provém
2. interveio
3. convém
D.
1. prevíamos/tínhamos previsto
2. revimos
E.
1. nos despedimos
2. impeça
3. despediu

2.

a manutenção
a proveniência
intervir
a composição
supor
a disposição
conter
impedir
a satisfação
a revisão
a previsão

3.

1. de; com; à
2. à; para; ao
3. nos; num; da
4. com; da
5. por
6. de; por
7. na; do; no; dos; de

4.

2. g.
3. b.
4. a.
5. f.
6. c.
7. e.

5.

1. a barriga
2. o nariz
3. unhas
4. os pés...mãos
5. pé
6. cotovelos
7. olho
8. a língua...dentes
9. as costas
10. o braço
11. ouvidos

6.

1. ...dava para...
2. ...demos com...
3. Demo-nos muito bem com...
4. ... não dei pelo...
5. ... não dou para...
6. ...dei pelo...
7. ...demos por...

7.

1. madeirense
2. arquipélago
3. caminhar

4. paisagem; panorama
5. excursão
6. açoriano

8.

mantêm; propõe-lhe; é composta; Esperam-no; interveio; oferecemos-lhes; detêm; convidá-lo; se encontram; Despeça-se; satisfaça; Venha; cuidamos

UNIDADE 5

1.

1. melhorares
2. te sentires
3. fores
4. souberes
5. nos lembrarmos
6. saírem
7. achares
8. tivermos
9. tratarmos
10. vires

2.

1. lento
2. pessimista
3. ansioso
4. vagar
5. deprimido; depressivo
6. adiantado
7. inconstante
8. frustrado
9. defesa
10. saudável

3.

Dantes; de hora a hora; horas a fio; por volta das; Enquanto; de vez em quando; de repente; a horas; logo de seguida; Entretanto

4.

1. Se mantiveres a calma, vais…
2. Se aprenderes a aceitar…,…
3. Se fizeres uma autoanálise,…
4. Se valorizar as suas qualidades,…
5. Se lutares pelos…
6. Se mudares a forma como…
7. Se derem valor…

5.

1. infeliz
2. bem
3. calmo
4. êxito
5. vencer
6. ansioso
7. bondoso
8. paz
9. ajudar
10. depressão

6.

estiver
fazeres; acabar; tiver
passarmos; corrermos; ir
quiseres; souber

7.

1. vier
2. fizerem
3. souberem
4. for
5. disserem
6. quiserem
7. receitar
8. precisares
9. puderes
10. pedirem
11. explicares
12. achares

8.

1. Digas…disseres
2. esteja…estiver
3. Venha…vier
4. leia…ler
5. ouças…ouvires
6. Vá…for
7. receite…receitar
8. Diga…disser
9. Decidas…decidires
10. Façam…fizerem

9.

R	A	P	I	D	A	M	E	N	T	E	L	L
D	D	H	S	M	E	R	T	X	L	O	C	P
E	E	M	D	V	B	E	C	O	D	R	O	R
S	P	P	E	O	S	L	F	S	E	S	R	E
P	R	O	M	A	J	O	G	S	V	E	R	S
A	E	D	O	J	R	G	D	P	A	L	E	S
C	S	J	R	U	F	I	E	Q	G	M	R	A
H	S	C	A	T	N	O	L	O	A	P	S	D
A	A	T	R	A	S	O	J	O	U	L	S	O
R	D	A	C	E	L	E	R	A	R	M	F	Z
L	O	N	P	T	S	A	I	Q	C	R	P	U

UNIDADE 6

1.

1. for
2. estiverem
3. estar
4. queiram
5. cheguemos/chegarmos
6. souber

7. vimos
8. passarem
9. prefira
10. consiga
11. orientares
12. estivemos
13. cheguei
14. goste

2.
1. É importante reservarmos...
2. Ao chegar a...
3. ...vamos visitar...
4. Pensamos fazer...
5. Decidimos ficar...
6. No sábado demos um passeio a pé...
7. Eles acabaram por ficar...
8. Eles ainda não desistiram de fazer...
9. Por mim, saíamos...
10. Ficámos de passar...

3.
A. diversão
B. desânimo
C. desprezo
D. indiferença
E. escassez

4.
1. percorrer; recorrer; concorrer
2. desmontar
3. relembrar
4. predominar
5. desanimar; reanimar
6. repensar; compensar
7. prever; rever
8. descodificar
9. desfazer; perfazer; refazer

5.
1. percorri
2. desmontarmos
3. relembrei
4. predominam
5. desanimes
6. compenso
7. prevíamos/tínhamos previsto
8. descodificar
9. desfazer

6.
1. a não ser que
2. Ainda que
3. desde que
4. exceto se
5. Apesar de
6. Caso

7.
1. desmotivante
2. imperdível
3. amanhecer
4. inalterável
5. entardecer
6. inesquecível

8.
1. sardinha
2. artesanato
3. salgado
4. galo
5. caldo-verde
6. amargo
7. cimbalino
8. pasteleiros
9. cafeína
10. carioca

9.
1. provaste
2. pôr
3. matei
4. tenhamos
5. fores
6. formaram
7. tira
8. damos
9. passar
10. tiraste

10.
comparência; referências; paragem; impressionante; acolhedor; deliciosa; atencioso; gastronómicas; fundação; escavações; imaginação; opção; urbanização; memorável

UNIDADE 7

1.
1. ...que houvesse...
2. ...tu fosses...
3. ...ele procurasse...
4. ...eles sobrevivam...
5. ...tu fosses...
6. ...todos percebessem...
7. ...eles nos atribuíssem...
8. ...todos deem...
9. ...que trouxessem...
10. ...cada um de nós compre...
11. ...antes que fosse...
12. ...que trabalhemos...

2.
aumentasse
assegurar
inútil

indispensável
desconhecer; ignorar
acompanhado
máximo
indigno
desemprego

3.
2. Se houvesse mais voluntários, distribuíamos comida…
3. Se recebêssemos mais doações por ano, podíamos…
4. Se eles promovessem mais atividades, não tinham…
5. Se ele vendesse mais revistas por dia, conseguia…
6. Se não saíssemos sempre tarde do trabalho, podíamos…
7. Se oferecessem um salário mais alto, não mudava de…
8. Se ele não tivesse problemas de saúde, podia ter…
9. Se a taxa de desemprego diminuísse, as expectativas sobre o futuro não eram…
10. Se as pessoas fossem generosas, a recolha de alimentos e de roupa era…

4.
1. melhorasse
2. houvesse
3. seja
4. recebêssemos
5. tenham

5.

1. g.	**6.** c.
2. d.	**7.** e.
3. f.	**8.** j.
4. h.	**9.** b.
5. i.	**10.** a.

6.
1. tivesses; inscrevesses
2. atualizares
3. chamar; fosses; sentisses
4. estivesse; fizeres

7. (Os exemplos dependem da imaginação de cada aluno, desde que exemplifiquem dois diferentes significados de cada palavra. Apresentam-se, em seguida, alguns significados para cada uma.)
1. lugares de trabalho / particípio do verbo pôr
2. cabelo liso, por exemplo / sem dinheiro
3. o contrário de esquerdo / Curso de Direito / estar direito e não curvado / o contrário de torto
4. notar / arranjar
5. do verbo imprimir / causar impressão ou sensação / aflição
6. situação / Nação politicamente independente / Governo
7. capital de um país / dinheiro
8. experimentar comida ou bebida / apresentar uma prova (de um crime, por exemplo)
9. um exemplar de um livro / um comportamento que serve de exemplo
10. líder / parte do corpo humano

8.
seja; trabalho; estava; tinha; concretizei; sabia; seria; fosse; seja; envie; fizesse; conseguisse; é

9.
1. Embora/Se bem que não tivesse família nem amigos, nunca aceitou a nossa ajuda.
2. Caso passes pela agência…
3. Talvez eles tivessem esperança de…
4. Embora/Se bem que estivesse desempregado, …
5. Ele só doava algum dinheiro **desde que** fosse para…
6. …, **mesmo que** lhes pedíssemos.
7. …**mal** o contactámos.

UNIDADE 8

1.
A.
1. tivesses ligado
2. tivesses esvaziado
3. tivesses carregado
4. tivesses apanhado
5. tivesses pago
B.
1. tinha criado
2. tinha aberto
3. tinha consultado
4. tinha gasto
5. tinha descarregado
6. tinha recebido

C.
1. tivessem vindo
2. tivessem conhecido
3. tivessem visto
4. tivessem posto
5. tivessem feito
6. tivessem lido

2.
consumista / a obsessão / modesto / o ideal / tecnológico / a rebeldia / a noite / o trabalho / jovem etário (idoso)

1. consumistas
2. tecnológico
3. idealistas
4. rebelde
5. noturnas
6. etária
7. laboral
8. modesto
9. jovem
10. obsessão

3.
para; na; tirar; sem; fino; na; de; à

4.
1. Se eu não tivesse abandonado a escola aos 16 anos, tinha conseguido arranjar…
2. Se eu já tivesse mudado o tarifário do telemóvel, não tinha pago uma conta enorme.
3. Se sair mais cedo…
4. Se percebesse de computadores não tinha/teria de chamar sempre…
5. Se ontem me tivesse conseguido ligar à *net*, tinha visto a…
6. Se tivesse escrito o endereço eletrónico corretamente, o servidor não me tinha devolvido o *e-mail*.
7. Se comprar um portátil, posso/vou poder/poderei …
8. Se já tivesse *net* em casa, podia/poderia entrar no…

5.

1. consola	**6.** motor de busca
2. palavra-chave	**7.** rato; cursor
3. ficheiro; vírus	**8.**programa
4. tecla	**9.** telefone
5. ecrã	

6.
Ol**á** Susana,
Tudo bem? Ontem telefonei-te v**á**rias vezes, mas n**ã**o te consegui apanhar. Dava sempre n**ú**mero indispon**í**vel e passava logo para a caixa de mensagens. Queria pedir-te os resumos da aula de Hist**ó**ria.
Hoje estive com a Raquel no caf**é** e fal**á**mos sobre o novo v**í**cio do Carlos. Por incr**í**vel que pareça, ele ainda n**ã**o se cansou daquele jogo de estrat**é**gia que lhe compr**á**mos. Passa horas de volta da consola! Da **ú**ltima vez que estive l**á** em casa, descreveu-me os pormenores todos. N**ã**o sei como **é** que ele suporta passar tanto tempo a olhar para o ecr**ã**.
J**á** consultaste os novos tarif**á**rios? Parece que v**ã**o lançar uma tarifa de 10 c**ê**ntimos por minuto para chamadas para a mesma rede e de 15 c**ê**ntimos para redes fixas. Imagina!
É verdade! E se f**ô**ssemos a Santos logo **à** noite? Abriu um bar com um som fant**á**stico perto do caf**é** do Zeca.
Pod**í**amos ir jantar **à**quele restaurante brasileiro de que tu gostas e depois **í**amos at**é** l**á**. D**á**-me um toque para o telem**ó**vel.
Beijos
Rute

7.
1. d.
2. g.
3. f.
4. b.
5. a.
6. c.
7. e.

UNIDADE 9

1.
é; demorem; esteja; se preocupe; serão; escolha; corra tenha; Vá; tome; se exponha; comprar; for

2.

1. h.	**6.** b.
2. f.	**7.** i.
3. g.	**8.** d.
4. j.	**9.** e.
5. c.	**10.** a.

3.
corpo; imagem; tratamentos; solário; drásticas; cirurgiões; envelhecimento; rugas; lisa

4.
A.
a. enquanto
b. pois
c. no caso de
d. se
e. talvez
f. mesmo que
B.
1. Se
2. No caso de
3. Enquanto
4. Talvez
5. mesmo que
6. pois

5.
Façam o que **fizerem**… Sem se **esquecerem** de…que a idade os **possa** vencer.
…, Maria Alice **teria/tinha feito** aquela…que sempre **quis** fazer.
…, sentia-se como se **fosse** uma…muitos idosos se **inspiram**. …
Apesar de **ter** menos tempo…, o seu dia a dia **mudou** radicalmente, …contribui para que se **sinta** ativo… Até já **pensa** em fazer..., o que o **obriga** a…

6.
1. sai; sair
2. são; sejam
3. posso/poderei; puder
4. custa; Custe; custar
5. disse; tivesse dito
6. estás; estejas

7.
A.
A Alberta disse que um dia se **tinha olhado** ao espelho e **não tinha gostado** da sua imagem.

Sentia-se a envelhecer rapidamente e não **suportava** a imagem **daqueles** papos debaixo dos olhos. Então, acrescentou que **ia** marcar uma consulta com um cirurgião que a **informasse** sobre a cirurgia e sobre o processo pós-operatório e, se **visse** que não **era** uma cirurgia complicada, **ia** fazê-la e que **esperava** que não se **arrependesse**. Ela disse que oxalá **conseguisse** rejuvenescer uns dez anos e acrescentou que não **achava** que **fosse** um sintoma de vaidade alterar o nosso corpo.

B.
A Rita disse que **tinha** 48 anos e muitas rugas de expressão e acrescentou que **tinha envelhecido** muito nos últimos anos, mas nunca **tinha pensado** recorrer a uma cirurgia plástica. Ela comentou que **envelhecesse** o que **envelhecesse**, a idade mental **era** o mais importante para ela. Ela **achava** que **havia** muitas pessoas que **deviam** fazer sessões de terapia em vez de alterarem o físico.

8.
Ana: Embora me sinta frustrada, sempre que olho para o espelho, todos pensam que eu sou a pessoa com mais autoconfiança que conhecem. Na verdade, tenho medo que me acusem de vaidade por querer fazer uma plástica.
Susana: Marca uma consulta na clínica perto da minha casa, onde fui operada há dois anos. É importante que te sintas bem contigo própria e não te deves importar com o que os outros possam pensar.
Ana: Achas que podem surgir complicações depois da cirurgia?
Susana: É natural que a recuperação demore algum tempo, mas depois das primeiras semanas o inchaço desaparecerá e as cicatrizes não serão visíveis.

UNIDADE 10

1.
1. Comprá-lo-ei...
2. Enviar-ta-emos...
3. Lê-lo-ei...
4. ...lançá-la-á...
5. ...Vê-lo-ei...
6. ...aumentá-la-emos/aumentá-la-ão...
7. ...digitalizá-las-emos...
8. ...publicá-la-emos...
9. ...reduzi-la-ão...
10. Dar-tos-ei...
11. Telefonar-lhe-emos...
12. ...enviar-to-á...

2.
A. estilo
B. vetar
C. evolução
D. tremor
E. queda
F. traçar
G. entrever
H. interceção
I. rejeição

3. (As frases dependem da imaginação de cada aluno, desde que sejam elucidativas dos significados de cada palavra. Seguem-se alguns sentidos possíveis para cada uma delas.)
1. do verbo medir / com moderação / tomar medidas para resolver uma situação
2. informações / cubos que se usam em vários jogos / / oferecidos
3. pedaço comprido de pano ou papel / do verbo tirar
4. face/perante uma situação / rosto
5. quebrado / partido político
6. numeral ordinal / de acordo com
7. material / função
8. início / regra (às vezes moral)
9. memoriza / enfeita (decoração)
10. do verbo cobrir (tapar) / metal
11. desperto / substantivo (fazer um acordo)
12. apenas / sozinho

4.
modernizar; moderno
a largura; alargar
a paz; pacificar/apaziguar
a crença; credível/crente
democratizar; democrático
a solidariedade; solidário
a resolução; resolver
o apuramento; apurado
diversificar; diverso

5.
1. na sequência de/devido a; a; Segundo; em
2. No que diz respeito à; devido à
3. De acordo; visto que
4. quais; de; junto; entre
5. Apesar de; para; pelas

6.
1. ...inclui-lo-íamos...
2. ...pedir-lhe-ia...
3. ...entrevistá-lo-ia...
4. ...dar-to-iam.
5. ...sabê-lo-iam.
6. Aceitá-lo-ia...

7.
A Associação *Fotoimagem* inaugurará, no dia 9 de julho, o seu novo espaço cultural, localizado no Chiado. Bruno Mendes, presidente da Associação, sublinhou que será um momento significativo para

todos nós que nos temos empenhado na divulgação da imagem como arte, em condições, muitas vezes, adversas. Considerando a existência deste espaço como uma mais-valia para a cidade, Bruno Mendes realçou que este projeto apenas se concretizou graças aos contributos de vários fotógrafos, o que resultou num espaço agradável, onde se realizarão exposições, cursos de fotografia, *workshops* e tertúlias. A cerimónia de inauguração contará com a presença da vereadora do Pelouro da Cultura, Carla Resende.

8.

1. jornal
2. tiragem
3. exemplares
4. anúncio
5. diário
6. leem
7. leitores
8. publicar
9. edição
10. artigos

UNIDADE 11

1.

praticar	-	ideia	-
Amazônia	Amazónia	atriz	-
projetos	-	arquiteto	-
ação	-	atual	-
dezessete	dezassete	ator	-
contatar	contactar	ótimo	-
setor	sector /(setor)	eletricidade	-
atividade	-	atualidade	-
voo	-	direto	-
metrô	metro	constatámos	-
teto	-	europeia	-
econômico	económico	dezanove	-

2.

1. ...Vou **apanhar** o barco...
2. ...Vou pedir **boleia** à Cristina.
3. ...Preciso **de** voltar a casa.
4. ..., ele não **tinha** ainda chegado.
5. Como **é que** você foi para casa ontem?
6. ...cheguei **a** casa tardíssimo.
7. ...Vou **deitar** o lixo fora e já volto.
8. Vou **a** casa...
9. De **facto**,...
10. ...Vou só **comer** uma sopa.
11. **Onde está** o meu livro?
12. A Maria ficou **fula/furiosa** porque o João...
13. Estou com um **enorme/grande** problema.

3.

pão-duro	sovina/ forreta	o chope	a imperial
o café da manhã	o pequeno-almoço	o sorvete	o gelado
o trem	o comboio	botar	pôr
o ônibus	o autocarro	bater um papo	conversar
o bonde	o elétrico	a cuca	a cabeça
a geladeira	o frigorífico	bacana	fixe
o banheiro	a casa de banho	bobagem	tolice; asneira; disparate
o celular	o telemóvel	um cara	um tipo; um gajo
o caixa eletrônico	a caixa automática; o multibanco	um tapa na cara	um estalo na cara

UNIDADE 12

1.

interior / seco / rural / antigo / a pobreza / diferente / abundar / oriental / plano / submisso / fértil

2.

1. c. **6.** b.
2. d. **7.** f. (c.)
3. j. **8.** g.
4. h. **9.** a.
5. i. (a.) **10.** e.

3.

1. por **5.** a; de
2. às; para/à **6.** a/para; nesse
3. à **7.** por
4. de **8.** De; à

4.

provir / festejar / acolher / planificar/planear / consciencializar / deturpar / propor / divertir / homenagear / afluir / saborear / colonizar

5. (Existe mais do que uma possibilidade para alguns substantivos.)

1. f. **6.** g.
2. j. **7.** b.
3. h. **8.** i.
4. a. **9.** c.
5. d. **10.** e.